REALIENBÜCHER FÜR GERMANISTEN

ABT. B

DEUTSCHE SPRACHWISSENSCHAFT

Annalen der deutschen Sprache

von den Anfängen bis zur Gegenwart

Von

Hugo Moser

2., durchgesehene Auflage

MCMLXIII

J.B. METZLERSCHE VERLAGSBUCHHANDLUNG

STUTTGART

J. B. Metzlersche Verlagsbuchhandlung und Carl Ernst Poeschel Verlag GmbH
in Stuttgart 1961. Satz und Druck: H. Laupp jr Tübingen
Printed in Germany

Vorwort

Diese Darstellung ist 1952 als Schlußabschnitt der von H.O. Burger herausgegebenen »Annalen der deutschen Literatur« erschienen und kommt nun auf Wunsch des Verlags gesondert in der ›Sammlung Metzler‹ heraus. Sie hat einige Veränderungen und Erweiterungen erfahren, vor allem im Hinblick auf die neuere und neueste Zeit.

Ein so knapper Abriß des Werdens der deutschen Sprache kann und soll nicht mehr als eine Hinführung bieten. Die zahlreichen Hinweise auf das wichtigere einschlägige Schrifttum, die neu dazugekommen sind, sollen den Weg zu näherer Beschäftigung mit den Problemen weisen. Von meiner ausführlicheren »Deutschen Sprachgeschichte« unterscheidet sich diese Arbeit nicht nur äußerlich durch ihre größere Gedrängtheit und eben durch die ausgedehnten bibliographischen Angaben, sondern auch dadurch, daß im Sinne des Titels die chronologische Abfolge des sprachlichen Geschehens in den Vordergrund gerückt ist. Daß bei der Wahl der Periodenbezeichnungen seit dem Mittelalter von der hochsprachlichen Entwicklung ausgegangen wurde, ist eine – hoffentlich als nicht ganz unfruchtbar empfundene – Einseitigkeit der Blickebene, welche die Darstellung selbst zu vermeiden bemüht ist.

Bonn/Stuttgart, im Mai 1960 — Hugo Moser

In der 2. Auflage wurden vor allem die Literaturangaben nach dem heutigen Stand ergänzt. Dabei, wie beim Lesen der Korrekturen, half mir Herr Diethelm Brüggemann, der auch das Register anfertigte.

Bonn, im Oktober 1962 — H.M.

INHALTSVERZEICHNIS

Karte des deutschen und niederländischen Sprachraums vor 1939 am Schluß des Buches

Abkürzungen

Beiträge	= Beiträge zur Geschichte der deutschen Sprache und Literatur. Nach 1945 Parallelausgaben in Halle und Tübingen
DtPhiA	= Deutsche Philologie im Aufriß
DU	= Der Deutschunterricht
DVjs.	= Deutsche Vierteljahrsschrift für Literaturwissenschaft und Geistesgeschichte
GRM	= Germanisch-Romanische Monatsschrift
SBM	= Sitzungsberichte der Bayerischen Akademie der Wissenschaften zu München
WirkWort	= Wirkendes Wort
ZfdA	= Zeitschrift für deutsches Altertum
ZfdB	= Zeitschrift für deutsche Bildung
ZfdPh	= Zeitschrift für deutsche Philologie
ZfDk.	= Zeitschrift für Deutschkunde
ZfdWf.	= Zeitschrift für deutsche Wortforschung
ZfMf.	= Zeitschrift für Mundartforschung

Die Kräfte, die dem unaufhörlichen Fluß des sprachlichen Werdens Richtung und Farbe verleihen, sind vielfältiger und sehr verschiedener Art und verbinden sich miteinander, so daß sprachliche Befunde häufig polygenetisch erklärt werden müssen. Sie wirken sich aus in Hinsicht auf die äußere Sprachgestalt (Laute, Wortbildung, Wortbeugung und Satzfügung), auf die Sprachinhalte und auf die räumlich-soziale Geltung der Sprache; hier wird die Vielschichtigkeit der sprachlichen Entwicklung deutlich.

Es sind einmal geistige Kräfte, welche die Entwicklung der Sprache bestimmen. Das Weltbild jedes Zeitabschnitts, wie es durch Religion, Wissenschaft und Kunst geprägt ist, drückt sich in ihr aus. So wirkt auch die Dichtung, deren Sprache unauflöslich verbunden ist mit dem Werden der Sprache überhaupt, stark auf dieses ein. Fremde Kultureinflüsse pflegen mit Übernahmen aus fremden Sprachen verbunden zu sein.

Karl Voßlers fruchtbare These, Sprachwandel sei Kulturwandel, ist aber nicht umfassend genug (es sei denn, man verstehe unter 'Kultur' die Gesamtheit menschlicher Objektivationen). Die Entfaltung der Zivilisation, der äußerlich-materiellen Lebensumstände, bestimmt das sich wandelnde Gesicht der Sprache nicht weniger als die politische Geschichte und die Entwicklung des Nationalgefühls, als die Wandlungen der Wirtschaftsformen und des Gesellschaftsgefüges. Besonders entscheidend kann ein Wechsel in der geistigen Führungsschicht sein. Daß umgekehrt von der Sprache immer auch eine Wirkung auf die jeweilige Zeit und ihre Menschen ausgeht, ist die Erkenntnis Humboldts, die in unseren Tagen besonders durch Leo Weisgerbers Untersuchungen wieder stark in den Vordergrund gerückt worden ist.

Die Veränderungen des Sprachkörpers freilich vollziehen sich, soweit sich das erkennen läßt, weithin unabhängig von all diesen Kräften und stehen unter der Einwirkung von physiologischen Bedingungen (des Verhaltens der Sprechwerkzeuge), psychologischen Ursachen (Vereinfachungs-, Einordnungs-, Nachahmungs-, Verdeutlichungs-, Spieltrieb) wie auch vielleicht immanenten sprachlichen Kräften und Tendenzen (etwa der Akzentverhältnisse oder der Neigung zur analytischen statt synthetischen Bildung der Wortbeugungsformen).

Das sprachliche Geschehen trägt weithin kollektiven Charakter und spielt sich großenteils in der Anonymität ab. Es wird in besonders starkem Maße von den menschlichen Gruppen und Schichten getragen; nur verhältnismäßig selten kann man die Eliten, die es vorantreiben, persönlich bestimmen, die Menschen namhaft machen, von denen sprachliche Impulse und Wandlungen ausgegangen sind. Fast ganz unmöglich ist dies bei der Entwicklung der Laute, der Formen der Wortbildung, der Flexion und des Satzbaus; am ehesten kann dies noch beim Sprachstil und beim Wortschatz gelingen, bei der Entstehung von Wortneubildungen, bei Wortentlehnungen, auch bei inhaltlichen Veränderungen von Wörtern. Ein erstes Auftreten einer sprachlichen Neuerung sagt freilich noch nichts Sicheres darüber aus, wann diese entstanden ist, kann sie doch immer von dem, bei dem wir sie zuerst antreffen, schon vorgefunden worden sein. So ist die genaue Chronologie der Einzelvorgänge im sprachlichen Bereich ungleich schwerer festzustellen, als in der Dichtung und in anderen Kulturbezirken; man muß sich häufig, und zwar nicht nur für frühere Zeiten, mit einer ungefähren Bestimmung des Ablaufs begnügen. Die »Annalen« der deutschen Sprache sind notwendig ungenauer als die der Literatur.

Allgemeine Werke zur deutschen Sprache

Sprachgeschichte

A. Bach, Geschichte der deutschen Sprache. 7., erweit. Aufl., 1961. (Ausführliche Darstellung handbuchartigen Charakters mit eingehenden Literaturhinweisen zu einzelnen Problemen.)

Th. Frings, Grundlegung einer Geschichte der deutschen Sprache, [3]1957. (Knappe, nicht für den Anfänger bestimmte Darlegung wichtiger Fringsscher Thesen zur deutschen Sprachgeschichte.)

H. Moser, Deutsche Sprachgeschichte, [4]1961.

Ders., Probleme der Periodisierung des Deutschen. In: GRM 1951, S. 296–308.

DERS., Mittlere Sprachschichten als Quellen der deutschen Hochsprache. Eine historisch-soziolog. Betrachtung, 1955.

H. SPERBER, Geschichte der deutschen Sprache (Slg Göschen), bearb. von W. Fleischhauer, ^{3}1958. (Überblick über die Entwicklung der deutschen Sprache, vor allem bis zum Anfang des 19. Jahrhunderts.)

H. MOSER, Deutsche Sprachgeschichte der älteren Zeit (etwa bis 1350). In: DtPhiA I, ^{2}1957, Sp. 621ff.

A. SCHIROKAUER, Frühneuhochdeutsch (etwa 1350–1600). In: ebda I, ^{2}1957, Sp. 855ff.

A. LANGEN, Deutsche Sprachgeschichte vom Barock bis zur Gegenwart. In: ebda I, ^{2}1957, Sp. 931ff. (Drei Beiträge mit einem ins Einzelne gehenden Bild der älteren Zeit, einer anregenden Schau der frühneuhochdeutschen Periode und einer besonders auch für die dichterische Wort- und Stilgeschichte wichtigen Darstellung der neueren Zeit.)

W. HENZEN, Schriftsprache und Mundarten, ^{2}1954. (Das grundlegende Werk über das geschichtliche und jeweilige Verhältnis der sprachlichen Schichten.)

A. LINDQVIST, Deutsches Kultur- und Gesellschaftsleben im Spiegel der Sprache, 1955.

F. SEILER, Die Entwicklung der deutschen Kultur im Spiegel des deutschen Lehnworts I–VIII, 1913ff.

S. SINGER, Die deutsche Kultur im Spiegel des Bedeutungslehnworts, 1903

A. SOCIN, Schriftsprache und Dialecte im Deutschen, 1888 (noch immer wichtig und lesenswert).

IRMGARD WEITHASE, Zur Geschichte der gesprochenen deutschen Sprache, I/II, 1961.

L. WEISGERBER, Von den Kräften der deutschen Sprache IV: Die geschichtliche Kraft der deutschen Sprache, ^{2}1959. (Die Darstellung richtet sich besonders auf die Wirkkraft der Muttersprache wie auf das Verhältnis der Sprachgemeinschaft zu dieser.)

Wortgeschichte

H. HIRT, Etymologie der neuhochdeutschen Sprache, ^{2}1921.

F. MAURER – F. STROH, Deutsche Wortgeschichte I–III, ^{2}1959f. (Sammeldarstellung verschiedener Fachgelehrter mit einschlägigen Literaturangaben. Die Einzelbeiträge vgl. später.)

E. SCHWARZ, Deutsche Wortgeschichte, 1949.

J. TRIER, Der deutsche Wortschatz im Sinnbezirk des Verstandes, I, 1931.

DERS., Die Idee der Klugheit in ihrer sprachlichen Entfaltung. In: ZfDk. 46, 1932, S. 625ff.

Wortschatz

J. u. W. GRIMM, Deutsches Wörterbuch Iff., 1854ff.

H. PAUL, Deutsches Wörterbuch, Iff., hg. v. W. Betz, ^{5}1956ff.

Trübners Deutsches Wörterbuch, hg. v. A. Götze und W. Mitzka, I–VIII, 1939 ff.
F. Kluge – A. Götze, Etymologisches Wörterbuch der deutschen Sprache, bearb. von W. Mitzka, ^{18}1960.
H. Schulz, Deutsches Fremdwörterbuch I, 1913; II. bearb. von O. Basler, 1926. Bd III ist noch nicht erschienen.

Grammatik

C. Karstien, Historische deutsche Grammatik I, 1939.
R. von Kienle, Historische Laut- und Formenlehre des Deutschen, 1960.
H. Paul, Deutsche Grammatik I–V, 1916 ff.
H. Stolte, Kurze deutsche Grammatik, 1949 (Zusammenfassung von H. Paul, Deutsche Grammatik).
K. Meisen, Altdeutsche Grammatik I: Lautlehre; II: Formenlehre, 1961 (Slg Metzler).
W. Wilmanns, Deutsche Grammatik I–III, 1, 2, 1899 ff.
O. Behaghel, Deutsche Syntax I–IV, 1923 ff.
F. Maurer, Untersuchungen über die deutsche Verbstellung in ihrer geschichtlichen Entwicklung (German Bibl. II 21), 1926.
W. Henzen, Deutsche Wortbildung, ^{2}1957.

Sprachgeographie

Deutscher Sprachatlas, hg. von F. Wrede, B. Martin und W. Mitzka, 1926 ff.
Deutscher Wortatlas, hg. von W. Mitzka und L. E. Schmitt, I ff. 1951 ff.
A. Bach, Deutsche Mundartforschung, ^{2}1950.
W. Foerste, Geschichte der niederdeutschen Mundarten: DtPhiA I, ^{2}1957, Sp. 1729–1891.
B. Martin, Die deutschen Mundarten, ^{2}1959.
W. Mitzka, Deutsche Mundarten, 1943.
Ders., Handbuch zum Deutschen Sprachatlas, 1952.
Ders., Hochdeutsche Mundarten. In: DtPhiA I, ^{2}1957, Sp. 1599 bis 1728.
E. Schwarz, Die deutschen Mundarten, 1950.

Das Schrifttum zu den einzelnen Zeiträumen ist jeweils am Schluß der entsprechenden Abschnitte aufgeführt.

I. Bis zur Mitte des 8. Jahrhunderts n. Chr.: Vorgeschichte der deutschen Sprache

1. Zweites Jahrtausend v.Chr.: Vorgermanische Zeit

Das Deutsche gehört wie alle germanischen Sprachen zu der indoeuropäischen oder indogermanischen Sprachgruppe. Diese umfaßt (nach dem Leitwort *hundert*) sogenannte *Kentum*-Sprachen (lat. *centum*), die *k* als Verschlußlaut erhalten haben, und die sogenannten *Satem*-Sprachen (altiran. *satem*), die *k* zu Reibelaut gewandelt haben. Am frühesten, schon im 2. Jahrtausend v.Chr., bezeugt sind das Sanskrit und das Hethitische.

Im einzelnen rechnet man zur indoeuropäischen Sprachgruppe:

Kentum-Sprachen	*Satem-Sprachen*
in Europa	
griechisch	slawisch
italisch (lateinisch usw.)	baltisch
illyrisch	albanesisch
keltisch	thrakisch
germanisch	
in Asien	
tocharisch	altindisch
hethitisch	iranisch
	armenisch
	phrygisch

Die seitherige Auffassung, daß aus einer reich gegliederten, formenreichen indoeuropäischen Ursprache, dem 'Urindogermanischen', die indoeuropäischen Einzelsprachen hervorgingen, ist heute sehr fraglich geworden, wie ja auch die Annahme eines indoeuropäischen Urvolkes neuerdings zum Teil bestritten wird. Man muß umgekehrt erwägen, daß die Gemeinsamkeiten der indoeuropäischen Sprachen durch Zusammenwachsen von Einzelidiomen und durch Ausgleich entstanden sein können.

H. HIRT, Indogermanische Grammatik I–V, 1921ff.

H. KRAHE, Indogermanische Sprachwissenschaft I/II (Slg Göschen), [3]1958f.

J. POKORNY, Indogermanisches etymologisches Wörterbuch, 1948ff.

A. WALDE – J. POKORNY, Vergleichendes Wörterbuch der indogermanischen Sprachen I–III, 1927ff.

2. Erstes Jahrtausend v. Chr.: Frühgermanische Zeit

Wahrscheinlich kann man nach den Ergebnissen der vorgeschichtlichen Forschung schon um 2000 v. Chr. von einem bronzezeitlichen Kulturkreis der Germanen in Skandinavien sprechen. In der jüngeren Bronzezeit, von 1200 bis 800 v. Chr., erfolgt die Ausdehnung der Germanen über das heutige Hinterpommern bis zur Mündung der Weichsel. Im 6. Jahrhundert v. Chr. wandern dann die 'Elbgermanen' an die untere und mittlere Elbe, während sich die Ostgermanen erst später, um 100 v. Chr., von den Nordgermanen trennen.

In das sprachliche Werden dieser frühen Zeit sind uns nur spärliche Einblicke gestattet. Man nimmt zumeist an, daß es einmal ein 'Urgermanisch', eine im wesentlichen einheitliche, gemeinsame Vorstufe aller germanischen Sprachen gab; doch kann man auch die frühgermanischen Gemeinsamkeiten durch das Zusammenwachsen von Einzelsprachen erklären. Wann sich die einzelnen germanischen Stammessprachen gebildet haben, wissen wir jedoch nicht genau. Ihre Entstehung wurde gewiß durch die germanischen Wanderungen seit dem 6. Jahrhundert v. Chr. stark gefördert; für die Zeit um Christi Geburt wird wohl schon eine stärkere sprachliche Sonderung anzunehmen sein, obwohl sie erst für das 3. Jahrhundert n. Chr. nachzuweisen ist.

Seit dem Ende des 2., vor allem aber im 1. Jahrtausend v. Chr. müssen sich, im ganzen sicher vor der Ausbildung der Einzelsprachen, gewisse Besonderheiten der germanischen Sprache entwickelt haben, durch die sich diese stark von den übrigen indoeuropäischen unterscheiden. Einmal wird wie im Italischen und Keltischen der ursprünglich freie Druckakzent auf die den Wortsinn tragende Stammsilbe verlagert (vgl. nhd. *Váter*, lat. *páter*, griech. *patḗr*). Damit hängt wohl nicht nur die Abschwächung der Silben im Wortauslaut (lat. *hostis* Feind, got. *gasts* Gast usw.), sondern auch die Ausbildung des germanischen Stabreims zusammen.

Dazu treten sonstige Veränderungen auf dem Gebiet des Lautstands, vor allem die sogenannte erste Lautverschiebung. Sie betrifft die Verschlußlaute des Indoeuropäischen. Es erscheinen:

p, t, k (ph, th, kh) als germ. stimmlose Reibelaute *f, th (þ)*[1], *h (ch)*, vgl. lat. *pecu* Vieh, got. *faíhu* (spr. *fehu*); lat. *trēs*, got. *þreis* (spr. *þrīs*) drei (*p, t, k* bleiben aber erhalten in den Verbindungen *sp, st, sk* und *pt* > germ. *ft, kt* > germ. *ht*, vgl. lat. *est*, got. *ist* ist; lat. *octo*, got. *ahtau* acht);

bh, dh, gh als germ. stimmhafte Reibelaute *ƀ, ð*[2], *ǥ*, die später großenteils zu *b, d, g* werden (vgl. lat. *ferre*, got *baíran* (spr. *beran*) tragen; lat. *medius*, got. *midjis* mitten; lat. *hostis*, got. *gasts* Gast;

b, d, g als germ. *p, t, k*, vgl. lat. *scabere* kratzen, got. *gaskapjan* schaffen; lat. *edere*, got. *itan* essen; lat. *jugum*, got. *juk* Joch.

Der ursprünglich auch im Germanischen freie Akzent wirkt nach bei einer weiteren Wandlung der neuen germ. *f, th (þ), h (ch)*: sie werden zu stimmhaften *ƀ, ð, ǥ* ebenso wie das stimmlose *s* zu *z*[3]), wenn nicht die den stimmlosen Reibelauten unmittelbar voraufgehende Silbe von Hause aus den Akzent getragen hatte, vgl. griech. *patḗr*, got. *fadar* (spr. *fáðar*) Vater, dagegen griech. *phrā́tōr*, got. *brōþar* Bruder (sogenannter grammatischer Wechsel). Auch diese *ƀ, ð, ǥ* entwickeln sich dann meist zu *b, d, g*. Noch im heutigen Deutsch wirkt der grammatische Wechsel nach (vgl. *dürfen – darben, schneiden – schnitt, ziehen – zog, verlieren – Verlust*).

Die erste Lautverschiebung muß im wesentlichen spätestens im 3. oder 2. Jahrhundert v. Chr., vor der Berührung der

---

[1]) entspricht etwa dem engl. stimmlosen *th in thing.*

[2]) ähnlich dem engl. stimmhaften *th,* etwa in *the.*

[3]) stimmhafter *s*-Laut.

Germanen mit den Römern, abgeschlossen gewesen sein: kein lateinisches Lehnwort ist von ihr erfaßt, während das wohl aus dem Skytischen stammende Wort *Hanf* (griechisch im 5.Jahrhundert *kánnabis*) im Germanischen lautverschoben auftritt (asächs. *hanap*); auch das älteste Denkmal in germanischer Sprache, die problematische Inschrift des Helms von Negau (frühestens 3.Jahrhundert v.Chr.), zeigt die Lautverschiebung: *charigasti teiwai*... (eine Weihinschrift: dem Heergast-Ziu? dem Gotte Harigast? Oder liegen Personennamen einer Besitzer- oder Geschenkinschrift vor?). Der einschneidende lautliche Wandel kann durch fremde Einwirkung entstanden sein, wird aber wohl eher innergermanischen Ursprung haben, wie er für den grammatischen Wechsel feststeht.

Auch andere lautliche Veränderungen sind den germanischen Sprachen gemeinsam. So erscheint wie im Altindischen und im Litauischen indoeuropäisches *o* als *a* (lat. *octō,* got. *ahtau* acht), andererseits wie im Litauischen *ā* als *ō* (lat. *māter*, asächs. *mōdar* Mutter). Unter verschiedenen Bedingungen findet Wechsel zwischen *e* und *i* wie zwischen *o* und *u* statt (Jacob Grimms 'Brechung'; *a*-Umlaut; *e*/*i*-Wechsel); vgl. ahd. *erda, irdīn* Erde, irden; *wolla, wullīn* Wolle, wollen.

Die germanische Wortbeugung zeigt in zunehmendem Maße die Entwicklung vom synthetischen (zusammengesetzten) zum analytischen (umschreibenden) Bau. So verschwinden Ablativ und Lokativ fast ganz, und der Gebrauch des Instrumentals wird (wie der des Vokativs) sehr eingeschränkt; an ihre Stelle treten präpositionale Umschreibungen. Nur im Gotischen finden sich ein ausgebauterer Dual für die Zweizahl und synthetisch gebildete Formen für das Passiv. Andererseits entstehen aber auch neue synthetische Formen, so beim Adjektiv eine schwache Beugung (Typus *des blinden Mannes*) sowie eine 'pronominale' Flexion (Typus *blinder Mann*) und beim Verb eine neue 'schwache' Form (vgl. got. *nas-ida,* ahd. *nerita* rettete usw.)

Sprachliche Zeugnisse für das Germanische finden sich außer der Inschrift des Negauer Helms erst um Christi Geburt. Es sind einzelne germanische Wörter, die bei Caesar und später bei Tacitus und anderen römischen Schriftstellern überliefert werden. Umgekehrt tritt neben einen keltischen Einfluß (in Entlehnungen wie *Amt, Eisen,* got. *reiks* (spr. *rīks*) Herrscher, vgl. nhd. *Diet-rich* usw., *Reich*) eine wachsende Einwirkung des Lateins (vgl. unten).

H. Hirt, Handbuch des Urgermanischen I–III, 1931ff.
W. Streitberg, Urgermanische Grammatik, 1943.
F. Fourquet, Die Nachwirkungen der ersten und zweiten Lautverschiebungen. In: ZfMf. 22, 1954, 2. 1ff.
L. Hammerich, Die germanische und die althochdeutsche Lautverschiebung. In: Beiträge (Tübingen) 77, 1955, S. 1ff., 165ff.
H. Moser, Zu den beiden Lautverschiebungen und ihrer methodischen Behandlung. In: Der Deutschunterricht, H. 4, 1954, S. 56ff.
F. Stroh, Germanentum. In: Maurer/Stroh, Deutsche Wortgeschichte I, [2]1959, S. 33ff.
K. Reichhardt, The Inscription on Helmet B of Negau. In: Language 29, 1953, S. 306ff.
H. Rosenfeld, Die Inschrift des Helms von Negau. In: ZfdA 86, 1955/56, S. 241ff.; vgl. dazu H. Moser, DtPhiA I, [2]1957, Sp. 635f.

3. Von Christi Geburt bis zum 5. Jahrhundert n. Chr.: Germanische Stammessprachen

Um Christi Geburt treten uns (nach Fr. Maurer) fünf archäologisch faßbare germanische Stammesgruppen entgegen: die Nord- und Ostgermanen, die Weser-Rhein-Germanen (die späteren Franken und Hessen), die Nordseegermanen (die Friesen, Angeln und Sachsen) und die Elbgermanen (die Sueben des Tacitus im engeren Sinn: die Semnonen, aus denen später im wesentlichen die Alemannen hervorgingen, die Hermunduren, die Langobarden, die Markomannen, die Quaden). Den drei zuletzt genannten Stammesgruppen entsprechen wohl im allgemeinen die Istwäonen, die Ingwäonen und die Irminonen des Tacitus; daß es eine archäologisch und historisch greifbare westgermanische Stammeseinheit gab, die diese drei Gruppen nach einer früheren Auffassung zusammenschloß, wird dagegen heute bestritten. Damit ist wohl auch die bislang angenommene ‘westgermanische’ Spracheinheit, aus der sich das Deutsche und Anglofriesische entwickelt haben sollen, in Frage gestellt. Zwar können die Gemeinsamkeiten der deutschen Stammesmundarten und des Anglofriesischen nicht übersehen werden. So sind etwa germ. *i* und *u* in unbetonter Stellung nur nach kurzer Silbe erhalten, nach langer dagegen unterdrückt (ahd. *turi* Türe, *situ* Sitte, aber *gast* Gast, *hant* Hand, got. *handus*); vor folgendem *j*, zum Teil auch vor *w, r, l, m, n* werden die Konsonanten gedehnt bzw. verdoppelt (got. *wilja*, aber ahd. *will(e)o* Wille). Aber diese Übereinstimmungen können (wie vor allem Fr. Maurer dartat) wesentlich jünger und auch erst etwa seit dem 4. Jahrhundert entstanden sein.

Von den germanischen Stammessprachen haben wir nur z.T. durch schriftliche Überlieferung Kunde. Neben der ostgermanischen, westgotischen Bibelübersetzung Wulfilas (gest. 382 oder 383) erscheinen die übrigen Zeugnisse allerdings dürftig: einige urnordische Runeninschriften seit dem 4. Jahrhundert, außerdem einige westliche germanische Runeninschriften und einzelne Wörter im lateinischen Schrifttum. Dazu treten die Reste der germanischen Namen, die durch die Völkerwanderung vor allem in das Gebiet der Romania getragen wurden.

Eine Anzahl gemeingermanischer Lehnwörter wie *Kaiser, Pfund, Wein* bezeugt den zunehmenden lateinischen Einfluß. Das Gotische der Wulfilabibel zeigt starke griechische Einwirkung.

H. Krahe, Germanische Sprachwissenschaft. 1. Einleitung und Lautlehre, [4]1960; 2. Formenlehre, [3]1957 (Slg Göschen).

A. Meillet, Caractères généraux des langues germaniques, 1917.

C. Borchling, Die nordischen Sprachen in ihrer germanischen Eigenart: Zur Kenntnis des Nordens, 1940, S. 8ff.

Th. Frings, Germania Romana, 1932, S. 10f.

Ders., Die Stellung der Niederlande im Aufbau des Germanischen, 1944.

Th. Frings und Elisabeth Linke, Ingwäonische Wellen, deutsche Wellen, Wellentheorie. In: Beiträge (Halle) 81, 1959, 1/2, S. 248–262.

E. Gamillscheg, Romania Germanica I–III, 1934ff.

Hans Kuhn, Zur Gliederung der germanischen Sprachen. In: ZfdA 66, 1955, S. 1ff.

F. Maurer, Die »westgermanischen« Spracheigenheiten und das Merowingerreich. In: Lexis I, 1948, S. 215ff.

Ders., Nordgermanen und Alemannen, [3]1952 (Bibliotheca Germanica 3).

R. Much, Deutsche Stammeskunde, [3]1920.

G. Neckel, Die Verwandtschaften der germanischen Sprachen untereinander. In: Beiträge 1927, 51, S. 1ff.

F. Neumann, Die Gliederung der Germanen. In: ZfdB 1943, S. 3ff.
G. Rohlfs, Germanisches Spracherbe in der Romania. In: SBM 1944/46, H. 8, 1947.
Ders., Sprachgeographische Streifzüge durch Italien. In: ebda 1944/46, H. 3, 1947.
R. Schützeichel, Die Grundlagen des westlichen Mitteldeutschen. Studien zur historischen Sprachgeographie, 1961.
E. Schwarz, Goten, Nordgermanen, Angelsachsen, Studien zur Ausgliederung der germanischen Sprachen, 1951.

4. Vom 5. bis zur zweiten Hälfte des 8. Jahrhunderts: Vordeutsche Zeit

Während die ostgermanischen Sprachen für uns verstummen, beginnen die nordgermanischen und die westlichen germanischen Sprachen ihre eigenen Wege zu gehen. Falls die 'westgermanischen' Gemeinsamkeiten erst etwa seit dem 4. Jahrhundert durch sprachlichen Ausgleich erwachsen sind, kommt dem Frankenreich, besonders seit der Herrschaft der Merowinger, dabei eine besondere Bedeutung zu. Trotzdem wird man zweckmäßigerweise auch weiterhin von 'westgermanischen' Besonderheiten sprechen. Nicht ganz leicht ist allerdings die Übereinstimmung mit der Sprache der Angelsachsen zu erklären, die um die Mitte des 5. Jahrhunderts das Festland verließen. Verkehrsbeziehungen allein reichen kaum dafür aus; vielleicht waren ripuarisch-fränkische Einwanderer, die nach archäologischen Aussagen am Anfang des 6. Jahrhunderts nach Kent einwanderten, die Vermittler? Doch wird man zugleich auch an getrennte Entwicklung gleicher sprachlicher Keime denken.

Auf jeden Fall ist heute die frühere Annahme, daß das Hoch- und Niederdeutsche aus einer gemeinsamen 'urdeutschen' Vorstufe entstand, aufgegeben: das Deutsche ist im Zusammenhang mit dem Werden des Frankenreiches aus Bestandteilen von drei Gruppen germanischer Stammessprachen zusammengewachsen, der nordseegermanischen (ingwäonischen), der weser-rhein-germanischen (istwäonischen) und der elbgermanischen (irminonischen), die im Verlauf der großen germanischen Wanderungen zur alpengermanischen wurde.

Eine einschneidende lautliche Wandlung geht (auffallenderweise trotz der politischen Vormachtstellung der Franken) vom Süden, wohl vom Alemannischen oder Bairischen (kaum vom Langobardischen) aus: die sogenannte zweite Lautverschiebung. Die als Ergebnis der ersten Lautverschiebung entstandenen germanischen Verschlußlaute werden erneut verändert:

p, t, k werden im 'hochdeutschen' Bereich nach Vokalen zu *ff*, *zz*[1]), *hh (ch)*, jedoch werden *p* und *t* im Anlaut, nach Konsonanten und bei Verdoppelung nur zu den Affrikaten *pf* und *z (tz)* verschoben (oberdeutsch auch *k* zu *kch*), vgl. got. *greipan* (spr. *grīpan*) greifen, *itan* essen, *juk* Joch – ahd. *grīf(f)an, ëzzan, joh(h)*; got. *pund* Pfund, *twai* zwei – ahd. *pfunt, zwei*; got. *kalds* kalt, ostfränk. *kalt*, aber al.-bair. *kchalt*.

d wird altoberdeutsch zu *t* (auch ostfränkisch), alemannisch und bairisch auch *b, g* zu *p, k*, vgl. got. *daúr* (spr. *dor*), ahd. *tor* Tor; got. *giban* geben, ostfränk. *gëban*, aber al.-bair. *këpan*.

Diese Veränderungen setzen sich also nicht überall in gleichem Maße durch; die Kraft der Sprachbewegung, um die es sich offenbar handelt, läßt nach Norden nach. Dabei wird der 'niederdeutsche' Bereich, das Altsächsische und das Niederfränkische und bis ins Hochmittelalter auch der ripuarische Nordteil des Mittelfränkischen, von der Veränderung überhaupt nicht berührt.

Die Verschiebung beginnt im Süden wohl spätestens im 5. Jahrhundert (der Name *Attilas*, der 453 starb, wurde schon von ihr erfaßt und tritt später als *Etzel* auf); im 7. Jahrhundert erscheint sie im langobardischen *Edictus Rothari* (643) sowie in alemannischen und ostfränkischen Ortsnamen, im 7./8. Jahrhundert im Rheinfränkischen, später auch im Mittelfränkischen. Über ihre Ursachen wissen wir so wenig Sicheres wie über die der ersten Lautverschiebung; sie kann wieder eigenständiger Herkunft sein oder aber – was weniger wahrscheinlich erscheint – auf fremden Einfluß zurückgehen

Die lateinischen Lehnwörter dieses Zeitabschnittes heben sich wie die des voraufgehenden formal und inhaltlich von den jüngeren der Folgezeit ab. Sie nehmen im Gegensatz zu diesen an der zweiten Lautverschiebung teil, vgl. lat. *piper, menta, rādīcem* – ahd. *pfëffar* Pfeffer, *minza* Minze, *rātīh*

---

[1]) In den Grammatiken *ȝȝ*; gedehnter (doppelter) *s*-Laut, dem gegenüber das alte *s* mehr als *sch* gesprochen wurde.

Rettich, und sie sind noch vorwiegend profaner Art. Sie wandern teilweise von Italien aus über Süddeutschland, namentlich aber von Gallien aus über Trier zu. Auch griechische Entlehnungen, die vom Gotischen auf dem Weg über das Bairische einwandern, machen die zweite Lautverschiebung mit, vgl. griech. *papás, pentēkostḗ(hēméra)* – ahd. *pfaffo* Geistlicher, *ſona finſchustim* Pfingsten.

H. AUBIN, Von Raum und Grenzen des deutschen Volkes, 1938.

DERS., Der Anteil der Germanen am Wiederaufbau des Abendlandes nach der Völkerwanderung, 1944.

H. BRINKMANN, Sprachwandel und Sprachbewegungen in althochdeutscher Zeit, 1931.

L. F. BROSNAHAN, The affricates of the High German consonant shift. In: Neoph. XLIII, 1959, 2, S. 112–123.

H. DRAYE, De gelijkmaking in de plaatsnamen (Löwen – Brüssel), 1943.

E. GAMILLSCHEG, Germanische Siedlungen in Belgien und Nordfrankreich, 1938.

F. MAURER, Zur vor- und frühdeutschen Sprachgeschichte. In: DU, H. 1, 1951, S. 5ff.

W. MITZKA, Zur Frage des Alters der hochdeutschen Lautverschiebung. In: Erbe der Vergangenheit, Festschrift für K. Helm, 1951, S. 63ff.

DERS., Das Langobardische und die althochdeutsche Dialektgeographie. In: ZfMf. 20, 1951, S. 1ff.

DERS., Stammesgeschichte und althochdeutsche Dialektgeographie. In: WirkWort 2, 1951/52, S. 65ff.

F. PETRI, Germanisches Volkserbe in Wallonien und Nordfrankreich, 1937.

DERS., Zum Stand der Diskussion über die fränkische Landnahme und die Entstehung der germanisch-romanischen Sprachgrenze, 1954.

GABRIELE SCHIEB, »bis«. Ein kühner Versuch. In: Beiträge (Halle) 81, 1959, 1/2. S. 1–77.

E. SCHWARZ, Die elbgermanische Grundlage des Ostfränkischen. In: Jb. für fränkische Landesforschung 15, 1955, S. 31ff.

TH. STECHE, Zeit und Ursprung der hochdeutschen Lautverschiebung. In: ZfdPh. 62, 1937, S. 1ff.

DERS., Die Entstehung der Spiranten in der hochdeutschen Lautverschiebung. In: ebda 64, 1939, S. 125ff.

F. STEINBACH, Studien zur westdeutschen Stammes- und Volksgeschichte, 1926.

W. v. WARTBURG, Umfang und Bedeutung der germanischen Siedlung in Nordgallien im 5. und 6. Jahrhundert im Spiegel der Sprache und der Ortsnamen, 1950 (Vorträge und Schriften der Deutschen Ak. d. Wiss. zu Berlin H. 36).

II. Mitte des 8. bis Anfang des 16. Jahrhunderts: Altdeutsche Zeit

1. *Etwa 750–1170: Frühdeutsch (Althochdeutsch und Altniederdeutsch)*

a) Bis zur Mitte des 11. Jahrhunderts: Älteres Frühdeutsch

Auch jetzt, da das 'Deutsche' seit den 750er Jahren in zahlreichen schriftlichen Denkmälern aufzutreten beginnt, erscheint es zunächst in der Form von 'Stammessprachen', auf deren Gliederung vor allem die politische Einteilung der Herzogtümer, zum Teil auch die kirchliche Diözesaneinteilung wirkt. Es sind die sogenannten altniederdeutschen Mundarten: das Friesische, das (Nieder-)Sächsische und das Niederfränkische wie zunächst vom Mittelfränkischen auch das Ripuarische, und die althochdeutschen: das Mosel- und Rheinfränkische sowie das Thüringische (= Mitteldeutsch), das Bairische, Alemannische und Ostfränkische (= Oberdeutsch). Auch das Westfränkische und das Langobardische gehören ihrem Lautstand nach zum Deutschen; doch kann man sie nur mit Einschränkung dazu rechnen, da sich ihre Träger ja nie als 'Deutsche' fühlten. Die gesprochene Volkssprache ist uns nicht zugänglich, ebensowenig die Verkehrssprache der Oberschichten; beide könnten sich in den zwei erhaltenen Gesprächsammlungen aus Kassel und Paris(-Rom) spiegeln.

Der Vorgang, der in der jetzigen Periode aus diesen Stammessprachen das Deutsche entstehen läßt, steht in engstem Zusammenhang mit der Entwicklung eines politischen Einheitsbewußtseins der nicht romanisierten germanischen Stämme, die im fränkischen Reich zusammengefaßt waren. Das Wort 'deutsch' erscheint seit dem Ende des 8. Jahrhunderts (zum erstenmal 786) in lateinischer, zwei Jahrhunderte später in heimischer Form (mittellat. *theodiscus* usw., ahd. *diutisc*). Meint es zunächst wohl die Volkssprache (es gehört zu ahd. *theota, diot* Volk), und zwar das Germanische überhaupt, so wird es später zur Bezeichnung des Germanischen im fränkischen Reich: ahd. *diutisc*, mhd. *diutsch, tiu(t)sch* deutsch.

Das Frühdeutsche ist uns, sieht man von den genannten Gesprächsammlungen ab, erhalten in der Form von hochsprachlichen Literaturidiomen, die zum Teil schon gewisse überlandschaftliche Tendenzen zeigen. In ihren Denkmälern werden sie uns zeitlich so greifbar: um 770 das Bairische *(Abrogans)*, 777 das Ostfränkische *(Hamelburger Markbeschreibung)*, wohl noch vor 790 das Altsächsische *(Tauf-formel)*, vor 800 das Alemannische *(St. Galler Hermeneumata, Vaterunser und Credo)*, um 800 das Rheinfränkische *(Taufgelöbnis, Weißenburger Katechismus)*, um 820 das Mittelfränkische *(Trierer Capitulare)*. Das Thüringische bleibt uns in dieser Periode stumm. Vom Westfränkischen wie vom Langobardischen sind uns keine größeren Texte erhalten; beide gehen bis zum 10. Jahrhundert im Romanischen auf. Umgekehrt breitet sich das Deutsche in der Ostmark (Österreich), in Südtirol und in der heutigen Schweiz in slawisches und romanisches Gebiet hinein aus.

Die Einheitssprache war im fränkischen Reich wie im westlichen Europa überhaupt das Latein; eine einheitliche heimische Schriftsprache gab es nicht, auch kaum eine 'karolingische Hofsprache', an die man früher glaubte. Die Sprache des karolingischen Hofs war wohl rheinfränkisch; wenigstens spricht in der Sprache dieser Landschaft Karl der Kahle bei den Straßburger Eiden (842). Geschrieben sind die frühdeutschen wie die lateinsprachigen Manuskripte der Zeit in lateinischen Kleinbuchstaben, den sog. karolingischen Minuskeln.

Während man für den Umlaut von $a > e$, der sich seit Beginn der Periode ausbreitet, niederdeutsche Herkunft annehmen will – man muß aber auch an spontane landschaftliche Entstehung aus gleichen Keimen denken –, vermutet man dagegen fränkischen Ursprung für die Wandlung von germ. $\bar{e}^2 >$ ahd. *ia (ie)* und von $\bar{o} >$ *uo;* sie vollzieht sich im 8./9. Jahrhundert gleichzeitig mit entsprechenden Veränderungen des Altfranzösischen und ging wohl von dem doppelsprachigen Gebiet zwischen Loire und Rhein aus. Auch die Ausbildung einer analytisch gebildeten Leideform und einer mit *sein* oder *haben* umschriebenen Vergangenheit sowie die Entwicklung des bestimmten Artikels aus dem hinweisenden

Fürwort und des unbestimmten Fürworts *man/on* ist beiden Sprachen gemeinsam. Die Tendenz zu fortschreitender Analyse ist deutlich. Zuerst im Fränkischen setzt vor allem seit dem 10. Jahrhundert auch die Abschwächung der vollen Endungsvokale zu *e* ein (z.B. *namo* Name > *name*).

Die ältere frühdeutsche, geschriebene Sprache trägt wie die Literatur überwiegend geistlichen und gelehrten Charakter. Ihre innere Entwicklung ist vor allem bestimmt durch die Aufnahme christlichen und antiken Gedankenguts. Die Aufgabe, neue geistige und seelische Inhalte auszudrücken, führt zu einer starken Vermehrung der Abstrakta. Im Werk NOTKERS entsteht neben dem geistlichen ein deutscher philosophischer Wortschatz, an den die folgende Zeit aber nicht anknüpft.

Vornehmlich auf dem Weg über die Mission wirkt jetzt besonders stark das Latein ein, weit weniger das Angelsächsische (von dort stammt etwa die Lehnbildung *Heiliger Geist*) und gelegentlich auch das Irische *(Glocke)*. Viele lateinische Lehnwörter, aber ebenso einige Bildungssilben wie ahd. *-āri* < lat. *-ārius* (vgl. *mulināri*, mittellat. *molīnārius* Müller) und zahlreiche Satzkonstruktionen dringen ein (der Akkusativ mit Infinitiv, der absolute Ablativ in der Form des Dativs, Partizipialkonstruktionen), und der heimische stabende Vers macht dem Endreimvers der lateinischen christlichen Hymnen Platz. Die jetzt entlehnten Wörter nehmen an der zweiten Lautverschiebung nicht mehr teil, vgl. lat. *poena, tincta* – ahd. *pīn* Pein, *tinkta* Tinte. Sie sind jetzt in hohem Maße geistlich-kirchlicher Art *(Priester, Kreuz, Zelle)*. Vor allem sind Lehnprägungen nach lateinischem Vorbild zahlreich, vgl. *sangāri: cantor* Sänger, *wolatāt : beneficium* Wohltat, *hērro* (<*hēriro* der Hehrere): *senior* Herr. Heimische Wortkörper erhalten vielfach einen neuen, geistlichen Inhalt (*himel* Himmel, *hella* Hölle, *ēra* Ehre, *minn(e)a* Liebe usw.).

Die Ausbildung der westlichen Sprachgrenze gegenüber dem vordringenden Romanischen, die im 9. Jahrhundert fest wird, ist besonders mit dem Wirken Karls des Großen in Zusammenhang zu bringen. Er ließ dem werdenden Deutsch nachhaltige Förderung zuteil werden, indem er vor allem Gebete, Tauf- und Beichtformeln ins Deutsche übertragen ließ, den Monaten und Winden deutsche Namen gab und die muttersprachliche Homilie forderte. Stand am Anfang dieses Abschnitts das Gruppen- und sprachliche Sonderempfinden der einzelnen Stämme, so gibt es an seinem Ende mit einem »nationalen« Sondergefühl auch ein gemeinsames deutsches Sprachbewußtsein; schon seit dem 10. Jahrhundert beginnt sich das Deutsche deutlich gegen die Nachbarsprachen, das Romanische, Dänische, Slawische, Rätoromanische als Ganzheit abzuheben. Die räumliche Begrenzung dieser Sprachgemeinschaft fällt nicht überall mit den Außengrenzen des Reiches zusammen, sondern greift im allgemeinen weniger weit aus; nur in der heutigen Westschweiz, im Aargau, liegt umgekehrt die Sprachscheide bis ins hohe Mittelalter jenseits der Reichsgrenze.

b) Von der Mitte des 11. Jahrhunderts bis etwa 1170: Jüngeres Frühdeutsch

Mit NOTKERS Tod (1022) verstummt für uns die deutsche Literatur und Sprache während vier Jahrzehnten; das Latein allein ist die Sprache der erhaltenen Dichtung. Was uns danach als deutsche Sprache entgegentritt, das sogenannte 'Spätalthochdeutsche' oder 'Frühmittelhochdeutsche', stellt sich weiterhin in der Gestalt von Literaturidiomen dar.

Die jüngere frühdeutsche Sprache trägt deutlich den Stempel der Übergangszeit zum hochmittelalterlichen Deutsch. So schreitet die Abschwächung der unbetonten Endsilben fort. Daneben dehnt sich der *i*-Umlaut weiter aus; vor allem bleibt er nicht auf *a* beschränkt, sondern beginnt auch alle anderen umlautbaren Vokale zu erfassen. Das Deutsche löst sich vom lateinischen Vorbild, und die Fähigkeit, Seelisches auszudrücken, nimmt in den geistlichen Dichtungen dieses Zeitabschnitts um ein bedeutendes zu. Die Linie der wissenschaftlichen Prosa NOTKERS wird im älteren *Physiologus* (um 1070) wieder aufgenommen. Gegen Ende der Periode beginnt nun auch die Welt in die Dichtung und ihre Sprache Eingang zu finden. Die ersten vereinzelten Beispiele für deutsche Urkundensprache finden sich in Kölner Schreinsurkunden schon seit 1135.

Jetzt beginnt, besonders von Mitteldeutschland aus, das Vordringen des Deutschen nach Obersachsen und Schlesien.

W. BRAUNE, Althochdeutsche Grammatik, bearb. von W. Mitzka, [9]1959.
F. HOLTHAUSEN, Altsächsisches Elementarbuch, 1921.
K. WAGNER, Zum Problem einer althochdeutschen Grammatik. In: Altdeutsches Wort und Wortkunstwerk, Festschrift für G. Baesecke, 1941, S. 94ff.
E. A. GRAFF, Althochdeutscher Sprachschatz, I-VII, 1834ff.
E. KARG-GASTERSTÄDT und TH. FRINGS, Althochdeutsches Wörterbuch, Lfrg 1ff., 1952ff.
O. SCHADE, Altdeutsches Wörterbuch, [2]1872ff.
G. BAESECKE, Über die Glossen. In: Beiträge 46, 1922, S. 444ff.; 51, S. 206ff; 55, S. 321; 68, S. 75ff.; ZfdA 61, 1924, S. 222ff.
DERS., Der deutsche Abrogans und die Herkunft des deutschen Schrifttums, 1930.
DERS., Der Vocabularius Sti Galli in der angelsächsischen Mission, 1933.
DERS., Das Nationalbewußtsein der Deutschen des Karolingerreiches nach den zeitgenössischen Benennungen ihrer Sprache. In: Der Vertrag von Verdun 843, hg. v. Th. Mayer, 1943, S.116ff.
GERTRAUD BECKER, Geist und Seele im Altsächsischen und im Althochdeutschen. Diss. Hamburg 1961. (Masch.)
W. BETZ, Der Einfluß des Lateinischen auf den althochdeutschen Sprachschatz. Der Abrogans, 1936.
DERS., Deutsch und Lateinisch. Die Lehnbildungen der althochdeutschen Benediktinerregel, 1949.
DERS., Lehnwörter und Lehnprägungen im Vor- und Frühdeutschen. In: Maurer/Stroh, Deutsche Wortgeschichte I [2]1959, S. 127ff.
H. BRINKMANN, Theodiscus, ein Beitrag zur Frühgeschichte des Namens »Deutsch«. In: Altdeutsches Wort und Wortkunstwerk, Festschrift für G. Baesecke, 1941, S. 20ff.
H. EGGERS, Nachlese zur Frühgeschichte des Wortes deutsch. In: Festschrift Karg-Gasterstädt, 1961, S. 157–173.
TH. FRINGS, Das Wort »Deutsch«. In: Festschrift G. Baesecke 1941, S. 46ff.
DERS., Antike und Christentum an der Wiege der deutschen Sprache, 1949.
DERS., Sprache und Geschichte I–III, 1956.
K. F. FREUDENTHAL, Gloria temptatio conversio. Studien zur ältesten deutschen Kirchensprache, Göteborg 1959 (Göteborger germanistische Forschungen 3).
H. IBACH, Zu Wortschatz und Begriffswelt der althochdeutschen Benediktinerregel. In: Beiträge (Halle) 78, 1956, S. 1–110, 79, 1957, S. 106–185, 80, 1958, S. 190–271, 81, 1959, S. 123–173, 82, 1960, S. 371–473.

P. KIRN, Aus der Frühzeit des Nationalgefühls, 1943.

TH. KOCHS, Zum Wort »Gottheit«, insbesondere zu ahd. u. frühmhd. got(e)heit. In: Festschrift Karg-Gasterstädt, 1961, S. 199–215

W. KROGMANN, Deutsch, Eine wortgeschichtliche Untersuchung, 1936.

G. KRÖMER, Die Präpositionen in der hochdeutschen Genesis und Exodus nach den verschiedenen Überlieferungen. In: Beiträge (Halle) 39, 1914, S. 403–523; 81, 1959, S. 323–387; 83, 1961, S. 117–150.

E. LERSCH, Das Wort »Deutsch«, 1942.

ELISABETH LINKE, »Fett« und »Feist«. Eine wortgeschichtliche Betrachtung. In: Festschrift Karg-Gasterstädt, 1961, S. 235–244.

W. MITZKA, Die Ostbewegung der deutschen Sprache. In: ZfMf. 19, 1943/44, S. 81ff.

DERS., Hessen in althochdeutscher und mittelhochdeutscher Dialektgeographie. In: Beiträge (Tübingen) 75, 1953, S. 131ff.

N. MORCINIEC, Die nominalen Wortzusammensetzungen in den Schriften Notkers des Deutschen. In: Beiträge (Halle) 81, 1959, S. 263–294.

H. MOSER, Stamm und Mundart. In: ZfMf. 20, 1952, S. 129ff.

DERS., Nochmals: Stamm und Mundart. In: ebda 28, 1961, S. 32–43.

W. G. MOULTON, Zur Geschichte des deutschen Vokalsystems. In: Beiträge (Tübingen) 83, 1961, 1/2. S. 1–35.

E. E. MÜLLER, Wortgeschichte und Sprachgegensatz im Alemannischen, 1960.

GERTRAUD MÜLLER und TH. FRINGS, Die Entstehung der deutschen daß-Sätze, 1959.

P. v. POLENZ, Landschafts- und Bezirksnamen im frühmittelalterlichen Deutschland, 1961 (Untersuchungen zur sprachlichen Raumerschließung. Bd. 1: Namentypen und Grundwortschatz).

E. ROOTH, Saxonika. Beiträge zur niedersächsischen Sprachgeschichte. Lund 1949.

GISELA SCHNEIDEWIND, Die Wortsippe »Arbeit« und ihre Bedeutungskreise in den ahd. Sprachdenkmälern. In: Beiträge (Halle) 81, 1959, 1/2, S. 174–187.

BRIGITTE SCHREYER, Eine althochdeutsche Schriftsprache. In: Beiträge (Halle) 73, 1951, S. 351ff. – Dies., Sprachliche Einigungstendenzen im deutschen Schrifttum des Frühmittelalters. In: Wissenschaftliche Annalen der Deutschen Ak. d. Wiss. Berlin 5, 1956, S. 295ff. – Dazu: W. SCHRÖDER, Kritisches zu neuen Verfasserschaften Walahfrid Strabos und zur »Althochdeutschen Schriftsprache«. In: ZfdA 87, 1956/57, S. 295ff. – Dazu: B. SCHREYER–MÜHLPFORDT in: Weimarer Beiträge, 1959, S. 134ff.

G. DE SMET, Die Ausdrücke für »leiden« im Altdeutschen. In: WirkWort 5, 1954/55, S. 69ff.
DERS., »Auferstehen« und »Auferstehung« im Altdeutschen. In: Festschrift Karg–Gasterstädt, 1961, S. 175–198.
ST. SONDEREGGER, Das Altdeutsche der Vorakte der älteren St. Galler Urkunden. Ein Beitrag zum Problem der Urkundensprache in althochdeutscher Zeit. In: ZfMf. 28, 1961, 3, S. 251–286.
H. SPARNAAY, Das sprachliche Problem des Heliand. (Vortrag.) In: Sparnaay, Spr. u. Lit. d. MA., Groningen 1961, S. 51–59.
F. STEINBACH, Gemeinsame Wesenszüge der deutschen und französischen Volksgeschichte 1939, S. 3ff. (Deutsche Schriften zur Landes- und Volksforschung. 1).
G. TELLENBACH, Die Entstehung des deutschen Reiches. [3]1943.
J. TRIER, Der deutsche Wortschatz im Sinnbezirk des Verstandes I, 1931.
K. WAGNER, Die Gliederung der deutschen Mundarten, 1954 (Abhandlungen der Mainzer Akademie, Geistes- und sozialwissenschaftliche Klasse, 1954, Nr 12).
DERS., Deutsche Sprachlandschaften, 1927 (Deutsche Dialektgeographie 23).
L. WEISGERBER, Theudisk, 1940.
DERS., Walhisk. Die geschichtliche Leistung des Wortes Welsch, 1948 (auch: Rheinische Vierteljahrsblätter 13, 1943, S. 87ff.)
DERS., Der Sinn des Wortes »Deutsch«, 1949.
DERS., Deutsch als Volksname. Ursprung und Bedeutung, 1953.
J. WEISWEILER, Deutsche Frühzeit, mit Nachtrag von Werner BETZ. In: Maurer/Stroh, Deutsche Wortgeschichte I, [2]1959, S. 51ff.

2. Etwa 1170 bis zur Mitte des 13. Jahrhunderts: Hochmittelalterliches Deutsch (Mittelhochdeutsch und Mittelniederdeutsch Überlandschaftliche Dichtersprache).

In dieser Zeit, namentlich im 13. Jahrhundert, erweitert sich der deutsche Sprachraum durch die Ostkolonisation jenseits von Elbe und Saale bedeutend. Seit 1226 wirkt der Deutsche Orden in Ostpreußen, es entstehen die ersten deutschen Sprachinseln in Südosteuropa (Siebenbürgen, Zips) und auch in die Randgebiete Böhmens und Mährens wandert das Deutsche nun ein.

Das 'Mittelhochdeutsche' der seit Jacob Grimm üblichen zeitlichen Gliederung des Deutschen ist keineswegs eine Einheit. Im hoch- wie im spätmittelalterlichen Deutsch stehen gesprochene Stammesmundarten und Berufssprachen als Formen der Volkssprache neben Verkehrssprachen sowie Literatur- und Schreibidiomen und 'erhöhten' Sondersprachen als Formen der Hochsprache. Auch jetzt sind uns gesprochene Mundarten und Verkehrssprachen nicht unmittelbar zugänglich. Was die lautliche Gestalt aller dieser verschiedenen Sprachformen vor allem kennzeichnet, ist die weithin durchgeführte Abschwächung der Endsilben (konservativer ist hierin das Alemannische): vgl. ahd. *gëba*, mhd. *gëbe* Gabe; ahd. *gibit*, mhd. *gibet* gibt. Eine weitgehende Vereinfachung der Wortbeugungsformen ist die Folge; die umschreibende Bildungsweise schreitet fort. Der *i*-Umlaut nimmt nun weithin neudeutschen Umfang an.

In den Landschaftssprachen treten seit dem 12. Jahrhundert Neuerungen auf, die schon die neudeutsche Sprachperiode vorbereiten. In bairischen Denkmälern, zuerst in Südtirol und Kärnten, erscheinen die Längen *ī*, *ū* und *iu (ǖ)* (*zīt* Zeit, *hūs* Haus, *hiuser* Häuser) als Zwielaute *ai (ei)*, *au*, *eu (äu)*. Im Ostmitteldeutschen beginnt die Monophthongierung der Zwielaute *ie*, *uo*, *üe* zu neuen *ī*, *ū*, *ǖ* (*liep* > *līb*, *guot* > *gūt*, *güete* > *gǖte*). Im niederdeutschen Gebiet endlich setzt die Dehnung alter Kurzvokale in offener Silbe ein. Diese Erscheinungen zeigen sich im Verlauf des Hoch- und Spätmittelalters auch in anderen Landschaften (s. u.).

Das hochmittelalterliche Deutsch ist vor allem gekennzeichnet durch die Entstehung einer überlandschaftlichen Dichtersprache, des sogenannten 'klassischen' Mittelhochdeutsch. Sie entwickelt sich in höfischen Kreisen seit etwa 1190. Es ist die erste deutsche Sprachform, deren man sich in allen Landschaften bedient: auch Niederdeutsche wie Werner von Elmendorf, Albrecht von Halberstadt, Heinrich von Morungen u. a. schreiben hochdeutsch (anders dagegen Eberhard von Gandersheim), ebenso in seiner späteren Zeit der Limburger Heinrich von Veldeke. Aus dem Bestreben, überall gleich leicht verstanden zu werden, wohl auch aus einem betonten Formwillen heraus, gebraucht man weithin die gleichen Wortformen und denselben Wortschatz. Abgesehen von den Reimwörtern ist die Lautung aber in vielem wenig einheitlich (soweit wir von der Schreibweise auf sie schließen können). Die 'normalisierten' Textausgaben seit Lachmann bieten bei allen ihren Vorzügen ein völlig verschobenes Bild. Man darf hinter den Laut- und Flexionsformen wohl die alemannisch-fränkische Verkehrssprache staufischer höfischer Kreise suchen. Der Stil freilich, der trotz manchen Abweichungen der literarischen Gattungen und der einzelnen Dichter weitgehende Gemeinsamkeiten zeigt, ist der einer künstlerischen Sondersprache. Diese war zunächst beschränkt auf die höfische Gesellschaft, wenngleich schon früh auch 'Bürgerliche' (nicht bloß der große Gottfried von Straßburg) zu ihren Trägern gehörten.

In mannigfachen Einwirkungen auf die mittelhochdeutsche Dichtersprache spiegeln sich die geistigen Verflechtungen der Zeit. Brabant liefert eine Anzahl niederfränkische Ausdrücke, so *ritter* (< mnld. *riddere*) und *dörper*, die neben *rīter* und *gebūre* treten. Vor allem wandern viele altfranzösische und provenzalische Wörter, z. T. auch Wortbildungsmittel zu, so etwa *amo(u)r* Liebe, *schevalier* Ritter, *garzūn* Knappe, *turnei* Turnier, die Infinitivendung *-ieren* (< afranz. *-ier*), vgl. *loschieren* herbergen. Auch einige lateinische gelehrte Wörter finden Aufnahme, und im Zusammenhang mit den Kreuzzügen dringen manche orientalische Ausdrücke ein (*zuccer* Zucker, *schāch* Schach). Die Wortinhalte werden in höfisch-christlichem Sinn vom romanischen Westen, aber auch vom Latein geprägt.

Die deutsche Sprache – das ist die große Bedeutung dieser Periode – erhebt sich nun zum erstenmal wie die deutsche Dichtung zu europäischem Rang. Sie nimmt mit dieser in vollen Zügen die (durchaus gottbezogene) Welt in sich auf, und schafft sich in ungleich größerem Maß als in ihrer Frühzeit die Mittel, verfeinertes seelisches Geschehen in Worte zu fassen.

Versepos und Lyrik – in diesen Gattungen verwirklichte sich die höfische Dichtersprache fast ausschließlich. Das werdende deutsche Drama ist noch so gut wie ganz lateinisch: als ältestes in deutscher Sprache ist uns das schweizerische *Osterspiel von Muri* aus den ersten Jahrzehnten des 13. Jahrhunderts erhalten. Um 1225 tritt uns auch ein erstes Beispiel deutscher dichterischer Prosa entgegen, die Bearbeitung des *Lanzelot* – ein Neues in der deutschen Sprachgeschichte, das sich erst im Spätmittelalter entfalten sollte. Auch im geistichen Gemeindelied, dessen Wurzeln ins 12 Jahrhundert zurückreichen, meldet sich das Deutsche zu Wort.

Das Deutsche beginnt aber die Welt auch in ganz anderen Bereichen zu bewältigen. Um 1190 führt der *Lucidarius* den frühmittelalterlichen Gebrauch deutscher wissenschaftlicher Prosa fort. In der Urkundensprache wird das Deutsche neben dem Latein häufiger, vor allem in der Schweiz, dann auch sonst im Südwesten. 1235 – ein wichtiges Jahr – wird als erstes Reichsgesetz der Mainzer Reichslandfrieden Friedrichs II. in lateinischer und deutscher Sprache verkündet. Deutsche Rechtsbücher und historische Werke finden sich nun, als erste das *Mühlhauser Reichsrechtsbuch* vom Anfang des 13. Jahrhunderts und der *Sachsenspiegel* EIKES VON REPGOW (um 1222). Nach 1225 vollendet Eike seine sächsische *Weltchronik*.

G. EIS, Historische Laut- und Formenlehre des Mittelhochdeutschen, 1950.

H. DE BOOR – R. WISNIEWSKI, Mittelhochdeutsche Grammatik ²1960 (Slg Göschen).

O. MAUSSER, Mittelhochdeutsche Grammatik I–III, 1932f.

H. PAUL, Mittelhochdeutsche Grammatik (Satzlehre von O. Behaghel), bearb. v. W. Mitzka, ¹⁸1959.

K. WEINHOLD, Mittelhochdeutsche Grammatik, 1883.

K. WEINHOLD – G. EHRISMANN – H. MOSER, Kleine mittelhochdeutsche Grammatik, ¹³1962.

BENECKE – MÜLLER – ZARNCKE, Mittelhochdeutsches Wörterbuch I–III, 1854ff.

M. LEXER, Mittelhochdeutsches Wörterbuch I–III, 1872ff. (Neudruck 1913).

DERS., Mittelhochdeutsches Taschenwörterbuch, ²⁹1959.

H. ARENS, Ulrich von Lichtenstein »Frauendienst«, Untersuchung über den höfischen Sprachstil, 1939.

AUBIN – FRINGS – MÜLLER, Kulturströmungen und Kulturprovinzen in den Rheinlanden, 1926.

K. BISCHOFF, Zur Sprache des Sachsenspiegels von Eike von Repgow. In: ZfMf. 19, 1943/44, S. 1ff.

K. BOHNENBERGER, Auslautendes *G* im Oberdeutschen. In: Beiträge 31, 1906, S. 393ff.

DERS., Zu *gân/gên/gangan*. In: ebda 59, 1935, 2. 235ff.

T. DAHLBERG, Mittelniederdeutsche Suffixabstrakta. Einige Bemerkungen zur Wortbildung und Lexikographie. In: Worte und Werte, Festschrift Bruno Markwardt, 1961, S. 51–59.

TH. FRINGS und GABRIELE SCHIEB, Heinrich von Veldeke. Die Servatiusbruchstücke und Lieder, 1947.

A. GÖTZE, Die mittelhochdeutsche Schriftsprache. In[9]: ZfDk 1929, S. 13ff. Dazu: O. BEHAGHEL. In: Beiträge 57, 1933 S. 240ff.; dazu J. M. N. KAPTEYN. In: Beiträge 57, 193[illegible] S. 428ff.

C. v. KRAUS, Die ursprüngliche Sprachform von Veldekes Eneide 1908.

M. MARACHE, Le Composé verbal en »ge« et ses fonctions grammaticales en moyen haut allemand. Étude fondée sur l'Iwei[illegible] de Hartmann von Aue et sur les Sermons de Berthold vo[illegible] Regensburg, Paris 1960.

F. MAURER, Leid. Studien zur Wort- und Problemgeschichte besonders in den großen Epen der staufischen Zeit, [2]1961.

H. MOSER, Schichten und Perioden des Mittelhochdeutschen In: WirkWort 2, 1952, S. 321ff.

E. ÖHMANN, Zum sprachlichen Einfluß Italiens auf Deutschland In: Neuphilolog. Mitteilungen 40ff., 1939ff.

DERS., Der romanische Einfluß auf das Deutsche bis zum Ausgang des Mittelalters. In: Maurer/Stroh, Deutsche Wortgeschichte I [2]1959, S. 269ff.

DERS., Die mittelhochdtn. Lehnprägungen nach altfranzösischem Vorbild. In: Annales Acad. Scient. Fennicae B. 68. 3 1951.

DERS., Unberechtigte mhd. Wortansätze. In: Beiträge (Halle 83, 1961, S. 294–298.

H. PALANDER, (SUOLAHTI), Der französische Einfluß auf di[e] deutsche Sprache im 12. Jahrhundert. In: Mém. de la Sociét[é] néophil. à Helsingfors. 3, 1902; im 13. Jahrhundert: ebda 8 1929 und 10, 1931.

E. PLOSS, Die Fachsprache der deutschen Maler im Spätmittelalter. In: ZfdPh. 79, 1960, 1, S. 70–83.

GABRIELE SCHIEB, »samen«, »samt«, »ensamen«, »ensamt«, »zesamene«. Ein Ausschnitt aus dem Bereich »zusammen« un[d] seiner Beziehungen. In: Festschrift Karg–Gasterstädt, 1961 S. 217–234.

MARIANNE SCHRÖDER, Die frühmittelhochdeutschen -»lich« Bildungen. In: Beiträge (Halle) 83, 1961, S. 151–194.

H. SPARMANN, Die Pronomina in der mittelhochdeutschen Urkundensprache. In: Beiträge (Halle) 83, 1961, S. 1–116, mi[t] 11 Ktn.

F.–W. WENTZLAFF–EGGEBERT, »Devotio« in der Kreuzzugspredigt des Mittelalters. Ein Beitrag zum ritterlichen Tugendsystem. In: Festschrift Kurt Wagner, 1960, S. 26–33.

E. WIESSNER, Höfisches Rittertum. In: Maurer–Stroh, Deutsche Wortgeschichte I, [2]1959, S. 149ff.

F. WILHELM, Corpus der altdeutschen Originalurkunden bis zu[m] Jahre 1300, fortgeführt von R. Newald, 1929ff.

DERS., Zur Geschichte des Schrifttums in Deutschland bis zu[m] Ausgang des 13. Jahrhunderts. I, 1920.

K. Zwierzina, Beobachtungen zum Reimgebrauch Hartmanns und Wolframs. In: Festgabe für Heinzel, 1898, S. 437ff., und ZfdA 44 und 45.

3. *Mitte des 13. bis Anfang des 16. Jahrhunderts: Spätmittelalterliches Deutsch (Spätmittelhochdeutsch und Spätmittelniederdeutsch)*

Der deutsche Sprachraum dehnt sich im Spätmittelalter in der eingeschlagenen Richtung nach Osten, Südosten und Süden weiter aus, doch weicht seine Grenze im 15. Jahrhundert, während der Hussitenkriege in Böhmen zurück.

Nicht mehr der Adel ist nun der Hauptträger der deutschen Hochsprache wie im hohen Mittelalter, sondern das städtische Patriziat, das 'Bürgertum'. Sie ist in ihrer inneren Entwicklung gekennzeichnet durch eine erneute, starke religiöse Einwirkung und durch zunehmend 'bürgerliche' Züge, daneben vor allem durch die Entwicklung einer nicht mehr abreißenden Prosatradition im Bezirk der Predigt und Erbauung, der Kanzlei und des Kontors, der Wissenschaft und zuletzt auch der Dichtung. In einer übergroßen Vielfalt tritt uns die Hochsprache des deutschen Spätmittelalters entgegen. Sie erscheint in der Form von landschaftlichen Schreib- und Literaturidiomen, von überlandschaftlichen Schreibsprachen, von Fach- und Sondersprachen; die fortschreitende Differenzierung des Handwerks und das Aufblühen der Zünfte bringt die Berufssprachen zu reicher Entfaltung.

Dazu treten die uns kaum zugänglichen gesprochenen Mundarten und Verkehrssprachen; das Bestehen von »Herrensprachen« gegenüber der Volkssprache läßt sich nun nachweisen. In der Schicht der Volkssprache beginnen sich die stammlichen Mundartgebiete seit dem Ende der Staufer unter dem Einfluß einer neuen Kraft zu wandeln: der Territorien. Im nordöstlichen Kolonialgebiet entstehen neue Mundarten durch die Mischung der Sprache der vorwiegend mittel- und niederdeutschen Siedler.

Nun setzt sich wie im übrigen Westeuropa eine neue Schriftart durch, die schon seit dem 12. Jahrhundert vorbereitet wurde: die gebrochene »gotische« Schrift, die Fraktur. Sie sollte im Deutschen bis ins 20. Jahrhundert vorherrschend bleiben, während sie in den anderen Ländern seit dem Spätmittelalter wieder zugunsten der Antiqua zurücktrat.

a) Bis zum Ende des 13. Jahrhunderts: Landschaftliche Hochsprachen, Sondersprachen

Im Unterschied zu der gleichzeitigen altfranzösischen Literatursprache setzt sich das ritterliche Deutsch nicht unmittelbar in späteren hochsprachlichen Formen fort. Es stirbt gegen Ende des 13. Jahrhunderts ab, und die Sprache der Dichtung ist wieder mehr und mehr landschaftlich bestimmt. In der wohl am Jahrhundertende entstandenen Lyrik Wizlavs von Rügen kommt auch das Mittelniederdeutsche in der Dichtersprache zur Geltung. Versroman und Lyrik sind weiterhin die Hauptgattungen. Doch entsteht um die Mitte des 13. Jahrhunderts die mittelniederfränkische Prosaübersetzung des *Bestiaire d'amour,* einer Minneallegorie des Richard de Fournival; das *St. Galler Spiel von der Kindheit Jesu* (wohl aus dem letzten Viertel des Jahrhunderts) steht als vollständiges Drama in deutscher Sprache neben lateinisch-deutschen Schauspielen noch vereinzelt.

Auf niederländischem Gebiet entwickelt sich dagegen seit der Mitte des 13. Jahrhunderts aus den südniederländischen Mundarten eine eigene Literatursprache, das Mittelniederländische, das zuerst in den Werken des Dichters Maerlant in Erscheinung tritt; es erhebt sich rasch zu bedeutenden Leistungen (1270 Epos *Van den Vos Reinaerde,* um die gleiche Zeit in Prosa das *Leven van Jezus*).

Der Gebrauch der deutschen Urkundensprache, die vom lateinischen Vorbild abhängig ist und zunächst stark landschaftlich bedingte Formen zeigt, beginnt sich auszubreiten. 1272 wird die erste uns bekannte mittelniederdeutsche Urkunde in Hildesheim ausgestellt. Im Mittelniederdeutschen entwickelt sich im Gefolge Eikes von Repgow eine umfangreiche Rechts- und historische Prosa. Nach dem Vorbild des *Sachsenspiegels* werden zu Beginn der Regierungszeit Rudolfs II. (1273–1291) auch oberdeutsche Rechtsbücher abgefaßt, der *Spiegel deutscher Leute* und etwas später der *Schwabenspiegel.*

Eine neue wesentliche Ausweitung und innere Bereicherung erfährt die Sprache im religiösen Bezirk. Sie wird zur Sprache des franziskanischen Traktats und der Predigt, bei DAVID VON AUGSBURG (gest. 1271) und bei seinem größeren Mitbruder BERTHOLD VON REGENSBURG (gest. 1272). Auch das geistliche Lied beginnt sich stärker zu entfalten.

Eine deutsch geschriebene Scholastik entwickelt sich, zunächst in Übersetzungen lateinischer Werke. Besonders wichtig ist, daß sich seit der Mitte des 13. Jahrhunderts, seit dem wohl niederdeutsch geschriebenen *Fließenden Licht der Gottheit* MECHTHILDS VON MAGDEBURG, die Mystiker neben der lateinischen auch der heimischen Sprache bedienen. Sie steigern die Fähigkeit des Deutschen, Geistig-Seelisches, vor allem religiöse Erfahrungen, im Wort darzustellen, wesentlich über das höfische Deutsch hinaus; dieses selbst beeinflußt besonders die Sprache der älteren Mystik. Scholastiker und Mystiker legen auch den Grund zu einer deutschen philosophischen Fachsprache.

b) Das 14. Jahrhundert: Mittelniederländische, mittelniederdeutsche und ostmitteldeutsche Schreibsprache

Der Geltungsbereich der hochsprachlichen Bildungen erweitert sich stark – ein Zeichen der neuen Einschätzung, welche die Muttersprache im Zusammenhang mit der Verstärkung des Nationalgefühls im europäischen Denken erfährt. Die mystische Sprache der Innerlichkeit und die Sprache der Scholastik – diese nun in selbständigen Werken – entfaltet sich weiter. Auch die geistliche Prosa der Andachts- und Erbauungsliteratur gewinnt sehr an Raum, und es entstehen zahlreiche Übertragungen einzelner biblischer Bücher. Die deutsche Urkundensprache dringt besonders seit dem Beginn des 14. Jahrhunderts von Westdeutschland nach Norden und Osten vor; das Deutsche gewinnt in diesem Bereich immer mehr an Raum, zumal seitdem ihm LUDWIG DER BAYER (1314–1347) Eingang in die kaiserliche Kanzlei gewährte.

Die Sprache der Wissenschaft bleibt allerdings vorwiegend das Latein. Doch werden seit dem Anfang des 14. Jahrhunderts auch deutsche Pilgerbücher und sonstige Reisebeschreibungen, naturwissenschaftliche und medizinische Bücher, Kalender und Kochbücher, Werke der Gebrauchsliteratur deutsch abgefaßt. Gegen die Mitte des 14. Jahrhunderts nimmt die Zahl der Prosachroniken in deutscher Sprache erheblich zu (1335 CHRISTIAN KUCHIMEISTERS *Chronik von St. Gallen;* 1347–1398 *Limburger Chronik,* seit 1380 die niederdeutsche *Magdeburger Schöppenchronik*).

Die dichterische Sprache bekommt seit dem 14. Jahrhundert immer mehr einen bürgerlich-nüchternen Charakter. Sie erobert seit dem Anfang des 14. Jahrhunderts endgültig auch die Gattung des Dramas (1322 das *Eisenacher Zehnjungfrauenspiel* usw.).

Das Deutsche wird, und das ist besonders bedeutsam, auch die Sprache des seit dem 14. Jahrhundert stark zunehmenden Handelsverkehrs. Aus den Bedürfnissen des Geschäftsverkehrs und der Kanzleien entstehen neue überlandschaftliche und schriftsprachliche Bildungen. Sie treten neben die mittelniederländische Literatursprache, die auch zur Geschäfts- und Urkundensprache wird. Zuerst entwickelt sich als Geschäftssprache der Hanse seit der zweiten Hälfte des 14. Jahrhunderts die mittelniederdeutsche Schreibsprache, die auch die Sprache einer umfangreichen Dichtung und Prosaliteratur ist. Von ihr ging die nachhaltigste Wirkung auf Nachbarsprachen, vor allem auf das Skandinavische, aus, die das Deutsche je ausübte. Doch war das Mittelniederdeutsche früh dem Wettbewerb des vordringenden Hochdeutschen ausgesetzt. Die Hansestädte in West- und Ostpreußen schrieben ebenso wie der Deutsche Orden in Preußen im allgemeinen ostmitteldeutsch. Seit den 20er Jahren des Jahrhunderts erscheinen hochdeutsche Urkunden in Brandenburg. Schon 1336 urkunden die Städte Göttingen, Minden und Northeim mitteldeutsch, und um 1350 verläßt die Magdeburger Kanzlei die niederdeutsche Sprache.

Über eine koloniale Durchschnittssprache des Ostens erhob sich im 14./15. Jahrhundert eine ostmitteldeutsche Geschäfts- und Verkehrssprache, auf die thüringische und auch südliche Einflüsse wirkten. Seit dem Anfang des Jahrhunderts bedienten sich mitteldeutsche Mystiker, besonders der Thüringer Meister Eckhart, des Ostmitteldeutschen, ebenso Bibelübersetzungen Thüringens, seit der Jahrhundertmitte auch solche des preußischen Ordenslandes.

Wie bei den anderen spätmittelalterlichen Schreibsprachen gründet sich auch bei der ostmitteldeutschen die Lautform viel eher auf die Verkehrssprache der Oberschichten als unmittelbar auf die Volkssprache. Im Stil wirkt lateinisches Vorbild auf sie ein; hier zeigt sich auch humanistischer Einfluß, der in der Prager Kanzleisprache Karls IV. deutlich wird. Daß diese die »neuhochdeutsche Diphthongierung« übernahm, war bedeutsam. Allerdings ist wie bei anderen »neuhochdeutschen« Besonderheiten die Frage, ob deren Ausbreitung über die Volkssprache, über die Verkehrssprache der Oberschichten oder über die geschriebene Kanzleisprache erfolgte, oder inwieweit eigenständige landschaftliche Entwicklung vorliegt. Gewiß war der Weg von Fall zu Fall verschieden.

Seit dem 14. Jahrhundert macht sich im geschriebenen Deutsch eine Eigenheit der Schreibung bemerkbar, die bedeutsam werden sollte. Nicht bloß am Satz-, Strophen- und Versanfang (wie z. T. schon im Frühmittelalter) und auch nicht nur bei Eigennamen (wie besonders schon im 13. Jahrhundert) finden sich Großbuchstaben, sondern diese können nun zur Hervorhebung von Substantiven, bald auch von Adjektiven verwendet werden.

Als Verkehrssprache, dann aber auch als hebräisch geschriebene Hochsprache entfaltete sich das Jiddische als eine Mischsprache vorwiegend ostmitteldeutschen Charakters, die auch romanische, slawische und hebräisch-aramäische Bestandteile enthält. Das erste jiddische Schriftstück ist uns aus dem 14. Jahrhundert überliefert.

c) 15. und Anfang des 16. Jahrhunderts: »Gemeines Deutsch«. Humanistensprache

Erst in der zweiten Hälfte des Jahrhunderts entsteht aus der Kanzleisprache Maximilians die überlandschaftliche Schreibsprache des Südens, das *Gemeine Deutsch,* wie es wohl

1464 zum erstenmal genannt wird. In oberdeutscher Sprache wird 1461 die erste deutsche Vollbibel in Straßburg gedruckt.

Im 15. Jahrhundert nehmen in Niederdeutschland die Kanzleien Anhalts und der Provinz Sachsen die ostmitteldeutsche Schreibsprache an; ihnen folgen um die Wende des 15. zum 16. Jahrhundert Berlin und seit 1502 Mecklenburg.

Mit den Übersetzungen französischer *Chansons de geste* der ELISABETH VON NASSAU-SAARBRÜCKEN (1437) gewinnt das Deutsche nun für immer das Gebiet der dichterischen Prosa (*Volksbücher*). Im 15. Jahrhundert beginnt eine realistische Vergröberung, ja oft Verrohung der deutschen Dichtersprache.

Wie einst das Frühdeutsch der geistlichen Schriftsteller, so öffnet sich besonders mit der Wende vom 14. zum 15. Jahrhundert das Deutsch der humanistischen Gelehrten für zweihundert Jahre einer überaus starken Einwirkung des Lateinischen auf den Wortschatz, aber auch auf die Wortbildung und die Satzfügung. Jetzt entstehen lateinische Lehnwörter wie *Kantor, Edition, zitieren* und werden Bildungssilben wie *-ant, -enz, -ion, -ur* übernommen (*Musikant, Eloquenz, Nation, Natur* usw.). Die Stellung des Lateins als Sprache der Wissenschaft wird erneut für Jahrhunderte gefestigt; auch die humanistische Dichtung ist weithin lateinisch.

Im Zusammenhang mit der humanistischen Gelehrsamkeit, die sich ja auch den Leistungen des eigenen Volks zuwendet, erscheinen aber gegen Ende des 15. Jahrhunderts die ersten Wörterbücher der deutschen Sprache (G. SCHUEREN *De Teuthonista* . . ., 1477; J. MELBER *Vocabularius*, 1488). Die Humanisten schaffen auch manche, z. T. wieder verschwundenen Lehnprägungen wie *Seltenheit* (*raritas*), *Zeitgenosse* (*synchronus*); *widererwaxsung* (*Renaissance; Dürer*).

AGATHE LASCH, Mittelniederdeutsche Grammatik, 1914.
J. FRANK, Mittelniederländische Grammatik, ²1910.
A. VAN LOEY, Middelnederlandse Spraakkunst, Vormleer ²1955, Klankleer ²1957.
SCHÖNFELD'S Historische Grammatica van het Nederlands, bearb. von A. van Loey und M. Schönfeld, ⁵1954.
V. MOSER, Frühneuhochdeutsche Grammatik I, 1. 3, 1929ff.
A. LASCH–C. BORCHLING, Mittelniederdeutsches Handwörterbuch, 1928ff.

K. Schiller–A. Lübben, Mittelniederdeutsches Wörterbuch I–VI, 1875ff. (Neudruck 1930).
J. Verdam, Middelnederlandsch Handwordenboek, 1911.
Verwijs en Verdam, Middelnederlandsch Woordenboek I–XI, 1885ff.
H. Bach, Die Thüringisch-sächsische Kanzleisprache bis 1325, I. II., 1937ff.
G. Bebermeyer, Vom Wesen der frühneuhochdeutschen Sprache (1350–1600). In: ZfDk. 43, 1929.
A. Bernt, Die Entstehung unserer Schriftsprache, 1934.
Helene Bindewald, Die Sprache der Reichskanzlei zur Zeit König Wenzels, 1928.
K. Bischoff, Hochsprache und Mundarten im mittelalterlichen Niederdeutschen. In: DU H. 2, 1956, S. 73ff.
O. Böhme, Zur Kenntnis des Oberfränkischen im 13., 14. und 15. Jahrhundert, Diss. Leipzig 1893.
B. Boesch, Untersuchungen zur alemannischen Urkundensprache des 13. Jahrhunderts, 1946.
K. Bohnenberger, Zur Geschichte der schwäbischen Mundart im XV. Jahrhundert, 1892.
K. Burdach, Vom Mittelalter zur Reformation, 1893. In: Burdach, Vorspiel I, 2, 1925.
B. Capesius, Die deutsche Sprache in Siebenbürgen im Spiegel der Geschichte und als Spiegel der Geschichte. In: ZfDk. 47, 1933, S. 215ff.
A. Daube, Der Aufstieg der Muttersprache im deutschen Denken des 15. und 16. Jahrhunderts, 1939 (Deutsche Forschungen. Bd 31).
K. Demeter, Studien zur Kurmainzer Kanzleisprache, ca. 1400 bis 1500, Diss. Berlin 1916.
Ebert – Frings – Gleissner – Kötzschke – Streitberg, Kulturräume und Kulturströmungen im mitteldeutschen Osten, 1936.
Th. Frings, Die Grundlagen des Meißnischen Deutsch, 1936
Th. Frings und L. E. Schmitt, Der Weg zur deutschen Hochsprache. In: Jb. der deutschen Sprache 2, 1944.
J. Gerzon, Die jüdisch-deutsche Sprache, 1902.
Käthe Gleissner, Urkunde und Mundart. Auf Grund der Urkundensprache der Vögte von Weida, Gera und Plauen, 1935.
Käthe Gleissner und Th. Frings, Zur Urkundensprache des 13. Jahrhunderts. In: ZfMf. 17, 1941.
R. Grosse, Die meißnische Sprachlandschaft, 1955.
H. Gumpel, Deutsche Sonderrenaissance in deutscher Prosa, 1930.
Erika Ising, Zur Entwicklung der Sprachauffassung in der Frühzeit der deutschen Grammatik. In: Forschungen und Fortschritte 34, 1960, 12, S. 367–374.

W. JUNGANDREAS, Zur Geschichte der schlesischen Mundarten im Mittelalter, 1937.

F. KAUFFMANN, Geschichte der schwäbischen Mundart im Mittelalter und in der Neuzeit, 1890.

RUTH KLAPPENBACH, Zur Urkundensprache des 13. Jahrhunderts. In: Beiträge (Halle) 67, 1945 und 68, 1946.

H. KUNISCH, Spätes Mittelalter. In: Maurer–Stroh, Deutsche Wortgeschichte I ²1959, S. 205ff.

AGATHE LASCH, Vom Werden und Wesen des Mittelniederdeutschen. In: Niederdeutsches Jahrbuch 51, 1925, S. 55ff.

K. B. LINDGREN, Die Ausbreitung der mhd. Diphtongierung bis 1500, Helsinki 1961.

GRETE LUERS, Die Sprache der deutschen Mystik des Mittelalters im Werke der Mechthild von Magdeburg, 1926.

F. MAURER, Zur Frage nach der Entstehung unserer Schriftsprache. In: GRM 33, 1952, S. 108ff.

F. MERKEL, Das Aufkommen der deutschen Sprache in den städtischen Kanzleien des ausgehenden Mittelalters, 1930.

W. MITZKA, Grundzüge nordostdeutscher Sprachgeschichte, ²1959 (Deutsche Dialektgeographie, Bd 59).

P. MÖLLER, Fremdwörter aus dem Lateinischen im späteren Mittelhochdeutschen und Mittelniederdeutschen. Diss. 1915.

H. MOSER, Die Entstehung der neuhochdeutschen Einheitssprache. In: DU H. 1, 1951, S. 58ff.

V. MOSER, Grundfragen der frühneuhochdeutschen Forschung. In: GRM 14, 1926, S. 25ff.

O. G. NOORDIJK, Untersuchungen auf dem Gebiet der kaiserlichen Kanzleisprache im 15. Jahrht., Diss. Groningen 1925.

E. ÖHMANN, Zum sprachlichen Einfluß Italiens auf Deutschland. In: Neuphilolog. Mitteilungen XL–XLII, LII, LIV, LV, 1939-1954.

J. QUINT, Die Sprache Meister Eckharts als Ausdruck seiner mystischen Geisteswelt. In: DVjs. 6, 1928, S. 671ff.

DERS., Mystik und Sprache. In: ebda 27, 1953, S. 48ff.

H. F. ROSENFELD, Humanistische Strömungen. In: Maurer–Stroh, Deutsche Wortgeschichte I ²1959, S. 329ff.

A. ROSENQVIST, Der französische Einfluß auf die mittelhochdeutsche Sprache in der zweiten Hälfte des 14. Jahrhunderts. In: Mémoires de la Société néophil. de Helsinki XV, 1943.

L. E. SCHMITT, Zur Entstehung und Erforschung der neuhochdeutschen Schriftsprache. In: ZfMf. 12, 1936, S. 193ff.

DERS., Die deutsche Urkundensprache in der Kanzlei Kaiser Karls IV., 1936.

DERS., Die sprachschöpferische Leistung der deutschen Stadt im Mittelalter. In: Beiträge 66, 1942, S. 196ff.

E. SCHRÖDER, Nordische Lehn- und Wanderwörter in der deutschen Sprache. In: Nachrichten d. Ak. d. Wiss. zu Göttingen phil. hist. 1941, Nr 3, S. 291ff.

R. SCHÜTZEICHEL, Mundart, Urkundensprache und Schriftsprache. Zum Anteil der Rheinlande an der Entwicklungsgeschichte des Neuhochdeutschen. In: Festschrift Kurt Wagner, 1960, S. 160–171.
DERS., Mundart, Urkundensprache und Schriftsprache. Studien zur Sprachgeschichte am Mittelrhein, 1960.
A. SCHULLERUS, Prolegomena zu einer Geschichte der deutschen Schriftsprache in Siebenbürgen. In: Archiv für Siebenbürg. Landeskunde N. F. 34, 1910.
E. SCHWARZ, Die Grundlagen der neuhochdeutschen Schriftsprache. In: ZfMf. 12, 1936, S. 1ff.
W. STAMMLER, Deutsche Scholastik. In: ZfdPh. 72, 1953, S. 1ff.; auch in: St., Kleine Schriften zur Literaturgeschichte, 1953, S. 127ff.
DERS., Zur Sprachgeschichte des 15. und 16. Jahrhunderts. In: Festgabe Ehrismann, 1925; auch in: St., Kleine Schriften zur Sprachgeschichte, 1954, S. 19ff.
TH. THORNTON, Die Schreibgewohnheiten Hans Rieds im Ambraser Heldenbuch. In: ZfdPh. 81, 1962, 1, S. 52–82.
C. G. N. DE VOOYS, Geschiedenis van de Nederlandse Taal, [5]1953.
L. WEISGERBER, Die Entdeckung der Muttersprache im europäischen Denken, 1948.
K. WÜHRER, Einfluß des Deutschen auf die skandinavischen Sprachen. In: Muttersprache 1954, S. 448ff.
O. ZIRKER, Die Bereicherung des deutschen Wortschatzes durch die spätmittelalterliche Mystik, 1923.
K. ZWIERZINA, Mundart als Schriftsprache, 1930 (Grazer Rektoratsrede).

III. SEIT DEM ANFANG DES 16. JAHRHUNDERTS: NEUDEUTSCHE ZEIT

Ein Hauptkennzeichen der neudeutschen Sprachperiode ist die Begründung und Entwicklung einer einheitlichen Schriftsprache, die auf dem Weg zur vollen Einheitssprache ist. Sie tritt neben die Mundarten, auf deren Grenzen weiterhin namentlich territoriale, seit dem 19. Jahrhundert aber auch andere Kräfte wirken, und neben Umgangssprachen, für deren Bestehen seit dem 16. Jahrhundert unmittelbare Zeugnisse vorliegen und die nun von wachsender Bedeutung werden. Der zunehmende Austausch von Privatbriefen eröffnet auch mehr und mehr Einblicke in die Alltagssprache.

Wesentliche lautliche Kennzeichen der Schriftsprache entstehen schon seit dem 12./13.Jahrhundert (vgl. oben); diese und andere ihrer Hauptmerkmale finden sich – neben manchen wichtigen Abweichungen – in der ostmitteldeutschen Schreibsprache des Spätmittelalters, die zur Grundlage der neuhochdeutschen Schriftsprache wird.

1. 16.–18. Jahrhundert: Älteres Neudeutsch

V. Moser, Frühneuhochdeutsche Grammatik, I, 1. 3, 1929ff.

M. H. Jellinek, Geschichte der neuhochdeutschen Grammatik von den Anfängen bis auf Adelung I. II, 1913f.

A. Götze, Frühneuhochdeutsches Glossar, [5]1956.

K. Bergmann, Die gegenseitigen Beziehungen der deutschen, englischen und französischen Sprache auf lexikologischem Gebiet, 1912.

Chr. T. Carr, The German Influence on the English Vocabulary, 1934.

E. Dornseiff, Griechische Wörter im Deutschen, 1950

P. F. Ganz, Der Einfluß des Englischen auf den deutschen Wortschatz 1640–1815, 1957.

Fr. Kluge, Von Luther zu Lessing, [5]1918.

E. Lerch, Deutsches im Französischen. In: Sprachkunde 1942, Nr 9 und 1943 Nr 1/2.

E. Littmann, Morgenländische Wörter im Deutschen, [2]1924.

P. M. Palmer, The influence of English on the German vocabulary to 1800. A supplement. Berkeley/Los Angeles 1960.

P. Scheid, Studien zum spanischen Wortgut im Deutschen. In: Deutsches Werden H. 4, 1934.

Ph. Wick, Die slawischen Lehnwörter in der neuhochdeutschen Schriftsprache, Diss. Marburg 1939.

a) Das 16.Jahrhundert: Frühneuhochdeutsch

Vor allem im Zusammenhang mit der späteren Ausbreitung des Buchdrucks entstand das Bedürfnis nach einer einheitlichen Schriftsprache; anfangs waren auch die Druckersprachen landschaftlich verschieden. Noch im 16.Jahrhundert kannte man in Oberdeutschland einen bayerisch-österreichischen, einen schwäbischen, einen oberrheinischen und einen innenschweizerischen, in Mitteldeutschland einen obersächsischen und einen westmitteldeutschen Typ, während die ostfränkische Druckersprache zwischen dem Ober- und Mitteldeutschen stand.

Am stärksten war zu Beginn des 16. Jahrhunderts der Einfluß des Gemeinen Deutsch: es war die Sprache der kaiserlichen Kanzlei, der führenden Druckerstadt Augsburg und der meisten Bibelübertragungen. Durch LUTHERS (seit 1522 gedruckte) Bibelübersetzung aber trat das Ostmitteldeutsche in den Vordergrund. Sein Deutsch geht auf die meißnische Kanzleisprache zurück; diese aber ist entgegen einer früheren Auffassung nicht aus der Prager Urkundensprache Karls IV., sondern aus der ostmitteldeutschen Durchschnittsschreibsprache hervorgegangen. Wie 300 Jahre zuvor, so wird jetzt das Deutsche durch Luthers Schriften zum zweitenmal weltgültig: sie werden in protestantischen Staaten viel gelesen, und seit 1524 wird Luthers Bibelübersetzung in den skandinavischen Sprachen nachgebildet, ja sie wirkt auch auf die katholischen deutschen Bibelübertragungen ein.

Die Sprache Luthers setzt sich schnell in Ostmitteldeutschland durch, im westmitteldeutschen Bereich da, wo man seine Lehre annahm. In Niederdeutschland dringt das Ostmitteldeutsche, begünstigt durch die Reformation und durch den Zerfall der Hanse, weiter vor. Es wird immer mehr zur Urkundensprache (so in Pommern seit 1532, in Schleswig-Holstein seit 1533). Die protestantischen Kirchenordnungen wurden zum Teil schon um 1530 hochdeutsch abgefaßt. Doch wurde Luthers Bibel zunächst in niederdeutscher Übertragung eingeführt, und auch die Predigtsprache blieb bis etwa 1600 noch niederdeutsch. Als Sprache der Dichtung weicht das Niederdeutsche langsam zugunsten des Hochdeutschen zurück; am zähesten hält es sich als Sprache volkstümlicher Dramen und Zwischenspiele.

In Oberdeutschland währte die sprachliche Auseinandersetzung am längsten, besonders in den katholischen Gebieten und in der zwinglianischen Schweiz. Zwar übernahm die Zwinglibibel 1527 die neuhochdeutschen Zwielaute, aber sonst hielt man zunächst an den Schweizer Eigentümlichkeiten fest und entwickelte (außer in Basel) einen eigenen schriftsprachlichen Typus. Für die Haltung des Südens waren nicht nur konfessionelle Gründe maßgebend: das oberdeutsche kulturelle Selbstbewußtsein sträubte sich dagegen, sich sprachlich der 'kolonialen' Mitte unterzuordnen. So stand die Sprache von Protestanten wie HANS SACHS, JÖRG WICKRAM, aber auch SEBASTIAN FRANCK dem Gemeinen Deutsch nahe. Freilich beeinflussen sich diese Sprachformen gegenseitig: vom Oberdeutschen gehen auf das Ostmitteldeutsche starke Wirkungen aus; auch das Umgekehrte ist der Fall, und von beiden wird das Schweizerdeutsche beeinflußt. Im flämisch-niederländischen Gebiet fand das Lutherdeutsch aus politischen und konfessionellen Gründen keinen Eingang, und es entwickelte sich aus dem Mittelniederländischen eine eigene neuniederländische Schriftsprache.

LUTHER setzt die Linie Dantes und mancher Humanisten fort, wenn er den Wert der Muttersprache preist. Aber er tut es in einem anderen Sinne als jene: für ihn sind die Sprachen von Gott um des Evangeliums willen geschaffen, und darum stellt er die deutsche Muttersprache auf die gleiche Stufe wie die 'heiligen' Sprachen des Mittelalters, das Hebräische, das Griechische und das Lateinische.

Luther ist nicht der 'Schöpfer' der neudeutschen Schriftsprache, aber er begründet sie auf ostmitteldeutscher lautlich-flexivischer Grundlage – jedoch nicht, um die deutsche sprachliche Einigung herbeizuführen, sondern um seine Lehre zu verbreiten. Allerdings tritt bald, zum Teil schon bei Luther, Oberdeutsches (*taufen* statt *teufen* usw.), Westmitteldeutsches und Niederdeutsches dazu. Luthers Sprache, insbesondere sein Wortschatz, schöpft aus dem spätmittelalterlichen Bibel- und Erbauungsschrifttum; da auf dieses, besonders über die Mystik, auch das höfische Deutsch gewirkt hatte, besteht eine gewisse, wenn auch nur mittelbare Verbindung zwischen ihm und der Sprache Luthers. Luther schafft aber auch viele neue Wörter (z.B. wohl *anschnauben, Kleingläubige, wetterwendisch*). Wieder erfährt das Deutsche also vom religiösen Bereich her eine tiefe innere Bereicherung und Umgestaltung. Es wird nun die Sprache des protestantischen Gottesdienstes, und auch im katholischen bekommt es erhöhte Bedeutung.

Luther sucht die Volksnähe, wobei er wie die Schriftsteller des Spätmittelalters und seiner Zeit vor Derbheiten nicht zurückschreckt, und stellt sich so in bewußten Gegensatz zu dem gleichzeitigen Humanistendeutsch. Die Sprache der Wissenschaft ist meist, die der Dichtung zum Teil das Latein. Aber auch innerhalb des Kreises der deutschen Humanisten, deren historische Einstellung ja nicht nur eine Rückwendung zur Antike, sondern wie bei den Romanen auch eine Besinnung auf die geschichtlichen Leistungen des eigenen Volkes bedeutet, werden Stimmen laut, die auf die Muttersprache hinweisen (Reuchlin, Aventin, Wimpheling, Ickelsamer, ferner Hutten und Melanchthon). Der antihumanistisch eingestellte Paracelsus verfaßt seine Werke in deutscher Prosa und hält in Basel im Winter 1526/27 die ersten Vorlesungen in deutscher Sprache; er findet darin aber zunächst keine Nachfolge. Besonders kraftvoll setzt sich, wie früher schon Ickelsamer, Johann Fischart (1546–1590), dessen Sprache oberdeutsch ist, für eine deutsche Wissenschaftssprache ein und betont – darin ein Vorläufer von Leibniz –, daß die Muttersprache für die Behandlung philosophischer und anderer wissenschaftlicher Gegenstände geeignet sei. Doch werden noch um 1570 in Deutschland 70 v.H. aller gedruckten Bücher lateinisch abgefaßt.

Wichtig ist, daß man sich nun auch wissenschaftlich mit der Muttersprache zu beschäftigen beginnt. Die nun unter humanistischem Einfluß nach dem Muster der lateinischen Schulgrammatiken entstehenden deutschen Grammatiken sind von verschiedenen Standpunkten aus verfaßt. Vom Ostmitteldeutschen Luthers gehen aus der Schlesier Fabian Frangk *(Orthographia*, 1531) und der Sachse Johann Clajus (*Grammatica Germanicae Linguae*, 1578). Die oberdeutsche Sprachform vertritt der lutherische Ostfranke Valentin Ickelsamer (*Teutsche Grammatica*, 1534) und der ebenfalls protestantische Württemberger J.E. Meichsner, der in seinem *Handbüchlin... der Orthographie und Grammatic* (1537) zum Teil sogar noch den alemannischen Vokalismus beibehält, ebenso der katholische Ostfranke Laurentius Albertus (*Teutsch Grammatic oder Sprach-Kunst*, 1573), der protestantische Elsässer Albertus Ölinger (*Underricht der Hoch Teutschen Spraach*, 1574) sowie der gleichfalls protestantische Schwabe Hieronymus Wolf in seiner Ausgabe der lateinischen Grammatik des JOHANN RIVIUS (*Institutiones grammaticae,* 1578). Das Schweizerische legen etwa JOHANN KOLROSS (*Enchiridion,* 1530) und KONRAD GESNER (*Mithridates,* 1555) zugrunde.

Auch weitere deutsche Wörterbücher werden nun herausgegeben, so 1535 von DASYPODIUS und 1540 von ERASMUS ALBERUS. 1561 erscheint das bedeutende deutsche Wörterbuch des Züricher JOSUA MAALER, 1571 SIMON ROTHS Fremdwörterbuch *Teutscher Dictionarius,* das bezeichnenderweise einen großen Erfolg hat, 1586 ein Wörterbuch von NICODEMUS FRISCHLIN.

Bei Luthers Schriften läßt sich unter dem Einfluß der Korrektoren deutlich eine Zunahme der Großschreibungen beobachten. In der Bibelausgabe von 1545 sind schon sehr viele Substantive mit Majuskel geschrieben.

Die Aufnahme des Hochdeutschen auf niederdeutschem Gebiet schreitet weiter und erfaßt auch die Kanzleien in den Hansestädten, so seit der Mitte des Jahrhunderts in Lübeck. Die Mundarten finden gelegentlich den Weg in die Literatur, so etwa in den Dramen des Herzogs HEINRICH VON BRAUNSCHWEIG (1593/94).

H. BACH, Laut- und Formenlehre der Sprache Luthers, 1934; Dazu DERS., in: ZfMf. 23, 1955, S. 193ff.

K. BACHMANN, Der Einfluß von Luthers Wortschatz auf die schweizerische Literatur des 16. und 17. Jahrhunderts, Diss. Freiburg i. B. 1909.

K. v. BAHDER, Zur Wortwahl in der frühneuhochdeutschen Schriftsprache, 1925.

F. J. Beranek, Jiddisch. In: DtPhiA I ²1957, Sp. 1955ff.

CL. BIENER, Veränderungen am deutschen Satzbau im humanistischen Zeitalter. In: ZfdPh. 78, 1959, S. 72–82.

C. BORCHLING, Der Einfluß der Reformation auf die niederdte Sprache. In: Mitteilungen aus dem Quickborn 11, 1917/18, S. 2ff.

EVA-SOPHIE DAHL, Das Eindringen des Neuhochdeutschen in die Rostocker Ratskanzlei, 1960.

J. VAN DAM, Deutsch und Niederländisch. In: ZfdB VIII, 1932, S. 289ff.

J. ERBEN, Grundzüge einer Syntax der Sprache Luthers, 1954.

DERS., Die sprachgeschichtliche Stellung Luthers. In: Beiträge (Halle) 76, 1955, S. 166ff.

DERS., Luther und die neuhochdeutsche Schriftsprache. In: Maurer/Stroh, Deutsche Wortgeschichte I ²1959, S. 439ff.
G. FRICKE, Die Sprachauffassung in der grammatischen Theorie des 16. und 17. Jahrhunderts. In: ZfdB IX, 1933, S. 113ff.
A. GÖTZE, Die hochdeutschen Drucker der Reformationszeit, 1905.
P. HANKAMMER, Die Sprache. Ihr Begriff und ihre Deutung im 16. und 17. Jahrhundert, 1927.
G. G. KLOEKE, De Hollandsche Expansie in de 16de en 17de eeuw, 1927.
SABINA KRÜGER, Fremdbegriff und Fremdwort in Luthers Bibelübersetzung. In: Beiträge (Halle) 77, 1955, S. 402ff.
AGATHE LASCH, Geschichte der Schriftsprache in Berlin, 1910.
F. LEPP, Schlagwörter des Reformationszeitalters, Diss. Freiburg 1909.
F. MALZER, Der christliche Wortschatz der deutschen Sprache, 1951.
V. MOSER, Beiträge zur Lautlehre Spees. In: ZfdPh. 46, 1915, S. 17ff.
DERS., Die Straßburger Druckersprache zur Zeit Fischarts (1570–1590), 1920.
DERS., Zur Sprache der Luther-Bibel im 17. Jahrhundert. In: Beiträge 47, 1923, S. 357ff.
DERS., Zum bayr.-österr. Schriftdialekt. In: ebda S. 364f.
DERS., Besprechung von A. Hauffen, Johann Fischart (1921f.). In: ZfdPh. 51, 1926, S. 496ff., darin Beitrag zur Geschichte der nhd. Schriftsprache, S. 522ff.
H. F. ROSENFELD, Humanistische Strömungen. In: Maurer/Stroh, Deutsche Wortgeschichte I ²1959, S. 329ff.
A. SCHIROKAUER, Der Anteil des Buchdrucks an der Bildung des Gemeindeutschen. In: DVjs. 25, 1951, S. 317ff.
K. SCHULTE-KEMMINGHAUSEN, Humanismus und Volkssprache. In: Westfalen 17, 1932, S. 77ff.
W. WALTHER, Die deutsche Bibelübersetzung des Mittelalters I–III, 1889ff.

b) Das 17. Jahrhundert: Ostmitteldeutsche, oberdeutsche, schweizerdeutsche Schriftsprache.

Im Zeitalter des Barocks erfährt das Nationalgefühl in Europa eine verstärkte Ausprägung, die auch den Bereich der Sprache berührt. In Mitteleuropa vergrößern die Nationalsprachen, durch Humanismus und Reformation in ihrer Stellung gestärkt, ihren Einfluß gegenüber dem durch denselben Humanismus als übernationale Einheitssprache befestigten Latein. Seit dem Beginn des Jahrhunderts führte in Frankreich MALHERBE die Reinigung und Einigung des Französischen durch. In Deutschland ist die Haltung zu den Fragen des sprachlichen Lebens noch betonter emotional als anderswo, galt doch hier die Nationalsprache angesichts der politischen Zersplitterung als besonders wichtiges einigendes Band der 'Kulturnation', und war doch hier die Schriftsprache in ihrem einheitlichen Ausbau sehr zurückgeblieben und besonders stark durch fremde, neben italienischen und spanischen namentlich durch lateinische und französische Entlehnungen gekennzeichnet. Träger der Bemühungen um Einheit und Reinheit des Deutschen sind vor allem die nach dem Vorbild der romanischen Sprachakademien entstehenden Sprachgesellschaften (als erste wird 1617 die *Fruchtbringende Gesellschaft* oder der *Palmenorden* in Weimar gegründet). Zu ihren Mitgliedern gehören Dichter wie OPITZ, LOGAU, MOSCHEROSCH, RIST, ZESEN, HARSDÖRFER und Grammatiker wie GUEINZ, SCHOTTEL. OPITZ will wie FRIEDRICH VON SPEE mit seinen deutschen Werken dartun, daß das Deutsche durchaus reif für die Sprache der Dichtung sei. Auch jetzt entstehen zahlreiche Wörterbücher, so etwa I. R. SATTLERS *Teutsche Orthographey vnd Phraseologey* (1607), G. HENISCHS *Teutsche Sprach und Weißheit* (1616), W. SCHÖNSLEDERS *Promptuarium Germanico-Latinum* (1618).

Waren Bestrebungen, die deutsche Sprache zu einigen, im 16. Jahrhundert teils den Absichten der Glaubensverbreitung, teils aber auch den geschäftlichen Bedürfnissen der Druckereien entsprungen, so werden sie seit den Tagen der Sprachgesellschaften bewußt als eine nationale Angelegenheit betrachtet, wobei ästhetische und systematisierende, aber auch praktische Rücksichten ebenfalls eine Rolle spielen. Noch mehr als in der Zeit der Humanisten will man die Gleichberechtigung des eigenen Volkes mit den anderen Nationen dartun. Seit der Wende des 16. zum 17. Jahrhundert bricht darum die Reihe der Veröffentlichungen altdeutscher Literatur- und Sprachdenkmäler nicht mehr ab (MARTIN OPITZ, der 1639 das *Annolied* rettet, die Alemannen GOLDAST, SCHOBINGER, FREHER, WATT). Darüber hinaus beschäftigt man sich nun auch mit den Vorzügen und Schönheiten der Muttersprache. Dabei ging von dem Beispiel Frankreichs eine starke

Anregung aus. Sprachliche Einheit bedeutet nun und künftig ein Doppeltes: Beseitigung der Verschiedenheiten der schriftsprachlichen Gebilde und gelenkte äußere und innere Weiterentwicklung der Schriftsprache zur Einheitssprache, mehr und mehr auch auf dem Gebiet der Rechtschreibung und der Aussprache. Dabei sollte der Weg zur sprachlichen Einheit nach der Meinung der barocken Sprachpfleger über die Grammatik gehen. Grammatische Regelung der Sprache ist der Grundsatz, zu dem man sich vorher in Frankreich und Italien bekannt hatte und der jetzt auch in Deutschland wirksam wurde. Man sieht: das Verhältnis zur Sprache ist ein bewußteres geworden als in den früheren Jahrhunderten. Das zeigt sich auch in den zunehmenden Bemühungen sprachvergleichender Art (HARSDÖRFER, LEIBNIZ u.a.).

War die niederländische Hochsprache schon im hohen, vor allem aber seit dem späten Mittelalter eigene Wege gegangen, so wurde ihre Sonderstellung 1648 durch die offizielle politische Verselbständigung des sie tragenden Staates endgültig befestigt. Aus dem Ringen der schriftsprachlichen Formen scheidet am Anfang des Jahrhunderts auch das Niederdeutsche aus: in den öffentlichen Urkunden ist es bis zum Anfang des 17.Jahrhunderts fast überall verschwunden (z.B. in Hamburg seit 1610), die Predigtsprache wird mehr und mehr hochdeutsch, und 1621 wird die letzte niederdeutsche Bibel gedruckt. Doch geht das Niederdeutsche nicht als Literaturidiom unter: seit 1630 erscheinen z.B. auf dem Hamburger Theater ähnlich wie vorher in Danzig weiterhin Stücke mit niederdeutschen Zwischenspielen. Auch die Sprache örtlicher Chroniken bleibt weiterhin (und zum Teil bis zum Beginn des 19.Jahrhunderts) niederdeutsch. Um 1650 versucht der Rostocker JOHANN LAUXEMBERG vergeblich, das Niederdeutsche wieder zur Literatursprache zu machen.

Die schweizerdeutsche Form der Schriftsprache war von vornherein in ihrer Geltung landschaftlich begrenzt; sie blieb provinziell und wich in der zweiten Hälfte des Jahrhunderts zugunsten eines oberdeutsch temperierten Ostmitteldeutsch zurück. Dagegen bestand der Wettbewerb zwischen der ostmitteldeutschen und der oberdeutschen Schriftsprache weiter. Ebensowenig wie die letztere noch das *Gemeine Deutsch* des beginnenden 16. Jahrhunderts darstellte, war das Ostmitteldeutsche mehr mit dem Lutherdeutsch gleichzusetzen: es hatte starke Einflüsse aus dem deutschen Süden und Norden in sich aufgenommen. Daß Frankfurt statt Wittenberg seit dem 17. Jahrhundert die führende Druckerstadt wurde, bedeutete eine Verstärkung des sprachlichen Einflusses der Mitte wie der westmitteldeutschen Einwirkung auf das Ostmitteldeutsche. MARTIN OPITZ bezieht im Sprachenstreit eine vermittelnde Stellung: neben der lutherischen Sprachform gilt ihm 1624 (ähnlich wie dem Hallenser Grammatiker GUEINZ und dem Nürnberger HARSDÖRFER in den 40er Jahren) auch die der Kanzleien, vor allem der kaiserlichen, als Richtschnur. In ähnlich vermittelnder Weise wie Opitz äußerte sich in seiner *Ausführlichen Arbeit von der teutschen Haubtsprache* 1663 SCHOTTEL zum Nebeneinander der Schriftsprachen. Er vertritt die später auch von anderen übernommene Meinung, die deutsche Schriftsprache dürfe nicht an eine bestimmte Mundart, auch nicht an die meißnische, gebunden sein, und glaubt im Sinne der Zeitauffassung, daß die Grammatik die normative Aufgabe habe, die richtige Sprache zu lehren. 1690 äußert dagegen J. BÖDIKER (wie später GOTTSCHED) in den Grundsätzen der deutschen Sprache eine neue, von dem Franzosen VAUGELAS kommende Auffassung: die Grammatiker haben nicht die Sprache zu machen, sondern den Sprachgebrauch festzustellen.

Durch OPITZ und die anderen Dichter des Jahrhunderts entstand eine barocke Gebildeten- und Dichtersprache, die in ihrer Prunkhaftigkeit und mit ihrer betonten Neigung zur Metapher und zu oft gesuchten Zusammensetzungen eine ausgesprochene Sondersprache darstellte. Sie verrät deutlich die Schule des Lateinischen und Französischen. Barocke Wortbildungen wie *Lebenstau, Liebesblick* gehören noch der heutigen Sprache an, andere wie *Gesichtserker* (für Nase) sind wieder verschwunden. Auch die sich weiter steigernde Neigung, ohne Rücksicht auf die Wortarten die Großschreibung zu verwenden, ist ein Ausdruck barocker Vorliebe für das Repräsentative.

Seit der Jahrhundertmitte beginnt in Deutschland wie in Europa überhaupt das Französische die Sprache der Gebildeten zu werden. Viele französische Entlehnungen wie *frisieren, kokett, Möbel* zeugen noch heute davon; doch wirkt auch das Italienische stark ein, vgl. Wörter wie *Kartoffel, Kuppel, Sonett.* Im Bereich der Dichtung und Geschichtsschreibung verdrängt das Deutsche das Latein, das noch 1680 vorgeherrscht hatte; seit dem Ende des Jahrhunderts (1681 zum erstenmal) überwiegen beim deutschen Buchdruck die deutsch verfaßten Werke. THOMASIUS hält 1687 in Halle deutsche Vorlesungen und gibt 1688/89 als erste Zeitschrift in deutscher Sprache die *Monatsgespräche* heraus. LEIBNIZ verkündet um dieselbe Zeit, die Muttersprache sei für das wissenschaftliche Denken nicht nur geeignet, sondern am günstigsten; er geht damit wesentlich über die Auffassung des 16. Jahrhunderts hinaus. Er findet in den *Unvorgreiflichen Gedanken betreffend die Ausübung und Verbesserung der teutschen Sprache* (um 1697) LUTHERS Sprache in vielem veraltet und weist auf die der Reichstagsabschiede hin. Doch schreibt er selbst auch weithin französisch und lateinisch. Bemerkenswert ist das Erscheinen periodischer deutscher Zeitungen seit 1609 (zuerst in Augsburg und Straßburg).

Abgesehen vom Niederdeutschen und vom Schlesischen, das sich in GRYPHIUS' *Verliebter Dornrose* 1660 zur Höhe der Literatur erhebt, bleiben die Mundarten im allgemeinen auf Gelegenheitsdichtungen beschränkt. Ihnen gilt aber jetzt eine besondere, aus provinziellem Sonderbewußtsein erwachsende Aufmerksamkeit. So kommt 1689 das erste Mundartenwörterbuch, das *Glossarium Bavarium* von J. L. PRASCH, heraus.

Die Saat, welche die Barockdichter und -grammatiker aussäten, sollte erst im kommenden Jahrhundert aufgehen. Was das Ringen zwischen ostmittel- und oberdeutscher Schriftsprache angeht, so war die erstere weit einheitlicher als das stark landschaftssprachlich gefärbte und kanzleisprachlich beeinflußte Oberdeutsch, und sie war ungleich stärker in wissenschaftlichen Werken, zumal in Grammatiken, wie vor allem in der Dichtung vertreten: auf der einen Seite stehen OPITZ, RIST, ZESEN, HOFMANNSWALDAU, MOSCHEROSCH, FLEMING, SPEE, GRYPHIUS, LOGAU, LOHENSTEIN, PAUL GERHARD, CHRISTIAN WEISE, ANGELUS SILESIUS, JAKOB BÖHME, auf der anderen nur zu Beginn des Jahrhunderts der Nürnberger AYRER und in seiner zweiten Hälfte ABRAHAM A SANTA CLARA; die Sprache des Nürnberger Dichterkreises um HARSDÖRFER war dem Mitteldeutschen angenähert, und die oberdeutsche katholische Barockdichtung war ja mit wenigen Ausnahmen (etwa bei JACOB BALDE) lateinisch geschrieben. So neigte sich die Waage langsam auf die Seite der Ostmitteldeutschen.

Y. BELAVAL, Leibniz et la langue allemande. In: Etudes Germaniques 2, 1947, S. 2ff.
K. O. CONRADY, Die Erforschung der neulateinischen Literatur. In: Euphorion 49, 1955, S. 413ff.
K. DISSEL, Die sprachreinigenden Bestrebungen im 17. Jahrhundert, 1885.
W. FLEMMING, Barock. In: Maurer/Stroh, Deutsche Wortgeschichte II ²1959, S. 1ff.
H. HARBRECHT, Zesen als Sprachreiniger, Diss. Freiburg 1912.
KLARA HECHTENBERG, Der Briefstil im 17. Jahrhundert. Ein Beitrag zur Fremdwörterfrage, 1903.
K. KAISER, Mundart und Schriftsprache. Versuch einer Wesensbestimmung in der Zeit zwischen Leibniz und Gottsched, 1930.
A. LANGEN, Der Wortschatz des deutschen Pietismus, 1954.
V. MOSER, Deutsche Orthographiereformer des 17. Jahrhunderts. In: Beiträge (Halle) 60, 1936, S. 1933ff.; 70, 1948, S. 467ff.; 71, 1949, S. 386ff.
J. W. MULLER, De uitbreiding van het nederlandse Taalgebied, vooral in de 17de eeuw, 1939.
F. SCHRAMM, Schlagworte der Alamodezeit, 1914 (15. Beiheft der Zeitschrift für Wortforschung).
A. SCHROETER, Beiträge zur Geschichte der neulateinischen Poesie Deutschlands und Hollands, 1909.
H. SPERBER, Die Sprache der Barockzeit. In: ZfDk. 43, 1929, S. 670ff.
U. WENDLAND, Theoretiker und Theorien der sogenannten »galanten« Stilepoche und die deutsche Sprache, 1930.
H. WOLFF, Purismus in der Literatur des 17. Jahrhunderts, Diss. Straßburg 1888.

c) Das 18. Jahrhundert: Von den Schriftsprachen zur Schriftsprache

Während sich der deutsche Sprachraum in diesem Zeitabschnitt durch neue Siedlungen in Südosteuropa (durch die sogenannten »Großen Schwabenzüge«), in Osteuropa und (hier schon seit 1683) Nordamerika erheblich erweiterte, reifte in Binnendeutschland die Entscheidung im Wettbewerb der schriftsprachlichen Formen.

Der weiteren Einigung der deutschen Hochsprache dienten zu Beginn des 18. Jahrhunderts, ganz im Sinne der Sprachgesellschaften, Bestrebungen, die Schreibweise und die Aussprache zu regeln. 1722 erschien H. FREYERS *Anweisung zur teutschen Orthographie* – ein wichtiges Werk, da es die Einigung der immer noch sehr ungeregelten Schreibung herbeiführen wollte. Auf niederdeutschem Gebiet entstand der Grundsatz, nach der Schrift zu sprechen. Er galt seit BROCKES' *Beurtheilung einiger ReimEndungen* (1721) und L. FRISCHS Neuausgabe von BÖDIKERS Grammatik (1723).

Die Sprache der Vorlesungen wird nun an den Universitäten allmählich deutsch (in Halle nach 1700, in Göttingen 1733). Auch auf dem Gebiet der Medizin und der Philosophie beginnt nach 1700 das Deutsche zu überwiegen, doch erscheinen 1730 noch 30 v.H. der deutschen Bücher in lateinischer Sprache. Am Ende des Jahrhunderts ist dagegen das Lateinische als Sprache der Wissenschaft (außer bei den Dissertationen) fast ganz verschwunden. CHRISTIAN WOLFF (1679 bis 1754) schafft eine neuhochdeutsche philosophische Fachsprache.

Die Reihe der schriftsprachlichen wie der Mundartwörterbücher wird fortgesetzt; so kommt 1738 in Wien *Das Deutsche Kayserliche Schul- und Canzeley-Wörterbuch* von J.B. ANTESPERG heraus. Immer deutlicher wird auch die Hinwendung zu den älteren Sprachstufen und ihrem Schrifttum, nicht nur bei GOTTSCHED, sondern vor allem auch im alemannischen Gebiet, im Elsaß im Gefolge SCHILTERS bei SCHERZ, SCHÖPFLIN und OBERLIN, in der Schweiz bei BODMER und BREITINGER, in Schwaben etwa bei FULDA, GRÄTER und WIELAND, bis dann HERDER die Führung übernimmt.

Die Stellung des Ostmitteldeutschen wurde besonders verstärkt durch das Wirken GOTTSCHEDS. Sein aus nationalen Beweggründen erwachsendes, großes Ziel war es, das Französische als Sprache der deutschen Oberschicht zurückzudrängen, das Deutsche im Sinne der Sprachgesellschaften und nach dem Vorbild der Französischen Akademie von Fremdem zu reinigen, es zu verfeinern und auf der Grundlage des Meißnischen, nach dem Sprachgebrauch des (Dresdener) Hofes, eine mundartfreie, geschriebene und gesprochene deutsche Einheitssprache zu schaffen. Sehr wichtig ist, daß er dabei (wie auch die anderen Grammatiker des Jahrhunderts) nicht auf das Lutherdeutsch zurückgriff, sondern auf die Sprache OPITZENS. Sein sprachliches Hauptwerk, die *Deutsche Sprachkunst*, das 1748 die ostmitteldeutsche Schriftsprache neu in Regeln faßte und auch die bis dahin sehr umstrittene Großschreibung der sogenannten Hauptwörter durchsetzte, übte auch auf die oberdeutschen Katholiken, namentlich in Österreich, und auf die Schweizer (selbst auf Gottscheds Gegner BODMER und BREITINGER) eine entscheidende Wirkung aus.

Nachdem es Gottsched gelungen war, den Wiener Hof für den Gedanken der sprachlichen Einigung zu gewinnen, setzte sich seit 1764 vor allem ein Jesuit, der Theologieprofessor IGNAZ WEITENAUER in Innsbruck, und nach ihm andere süddeutsche Katholiken für die ostmitteldeutsche Sprachform ein. Neben dem erstarkenden und sich vertiefenden Nationalgefühl war von besonderer Bedeutung, daß die großen Dichter und Schriftsteller, namentlich KLOPSTOCK, HERDER, WIELAND, SCHILLER, GOETHE und die Romantiker ostmitteldeutsch schrieben. Da sich auch das Deutsch der Schweiz bis zum Ende des 18. Jahrhunderts, vor allem unter dem Einfluß HALLERS, LAVATERS und GESSNERS, vollends an das Ostmitteldeutsche anglich, war nun endlich eine schriftsprachliche Einigung erreicht, die in Frankreich schon 150 und mehr Jahre vorher erfolgt war.

Die 'innere' Sprachgeschichte, zumal die Wortgeschichte des 18. Jahrhunderts, steht in engstem Zusammenhang mit der bewegten geistigen Entwicklung. Neubildungen der Aufklärung sind etwa das Wort *Aufklärung* selbst und *Toleranz,* solche des Pietismus *Selbstverleugnung, selbstgefällig,* der Empfindsamkeit *seelenvoll, hinsterben,* der Geniezeit *Originalgenie, Naturgeist;* solche HERDERS *Nationalgefühl, Volkslied* (nach engl. *popular song*). In KLOPSTOCKS Dichtung wächst der deutschen Sprache in gefühlsbetont-pathetischer Form wieder Neues aus dem religiösen Bereich zu; Wörter der Leidenschaft macht der Sturm und Drang modern.

Seit der Jahrhundermitte liebt man es aus einer wachsenden historischen Einstellung heraus, altdeutsche und frühneuhochdeutsche Wörter wie *Aar, Hain* zu erneuern (LESSING, GLEIM, BODMER, BREITINGER). SEBASTIAN SAILER schreibt um und nach 1750 seine schwäbischen Komödien, MALER MÜLLER 1775 seine Pfälzer und JOH. HEINRICH VOSS ebenfalls seit 1775 seine niederdeutschen Idyllen: damit ist die landschaftssprachliche Dichtung als Gattung auch für die Zukunft fest begründet. Wenn man, besonders seit dem letzten Viertel des Jahrhunderts, zahlreiche Mundartwörter in die Schriftsprache aufnimmt, dann ist das auch ein Ausdruck der neuen Wertschätzung des 'Volkes', die dieses besonders seit HERDER erfährt. Auch Umgangssprachliches tritt stärker heraus, und die Zeugnisse für die Alltagssprache mehren sich besonders in Briefen.

Seit der ersten Hälfte des Jahrhunderts beginnt sich englische Einwirkung auf den Wortschatz bemerkbar zu machen (*Elfe, Ballade*), doch überwiegt zunächst noch die französische, die im Zusammenhang mit der Aufklärung und namentlich mit der Französischen Revolution neue Impulse bekommt (vgl. Lehnwörter wie *Zivilisation, Demokrat*, Lehnübersetzungen wie *Abstimmung, Tagesordnung*).

Den Gedanken der Sprachreinigung nahm im letzten Viertel des Jahrhunderts vor allem ADELUNG auf. Er veröffentlichte 1774–1786 das erste große Wörterbuch der deutschen Sprache, 1788 aber auch die ein halbes Jahrhundert lang immer wieder neu aufgelegte *Vollständige Anweisung zur Deutschen Orthographie*. Noch fruchtbarer ist *Campe* als Sprachreiniger geworden; von ihm stammen z.B. die Eindeutschungen *Minderheit* (für *Minorität*), *gefallsüchtig* (für *kokett*), *verwirklichen* (für *realisieren*).

WIELAND, der Dichter der Welt, gewinnt das gebildete Deutschland endgültig der Muttersprache zurück und formt diese neben dem Prediger KLOPSTOCK als Instrument der Dichtung so, daß sie in den Werken der deutschen Klassik und Romantik wie 600 und 300 Jahre zuvor europäische Geltung erlangen konnte.

P. ALBRECHT, Über Schillers Sprache, insbesondere über Fremdwort und Verdeutschung, Diss. Marburg 1925.

F. BEISSNER, Klopstock als Erneuerer der deutschen Dichtersprache. In: ZfDk. 56, 1942, S. 235ff.

DERS., Studien zur Sprache des Sturms und Drangs. In: GRM 22, 1934, S. 417ff.

E. A. BLACKALL, The Emergence of German as a Literary Language 1700–1775, Cambridge 1959.

K. BURDACH, Universelle, nationale und landschaftliche Triebe der deutschen Schriftsprache im Zeitalter Gottscheds. In: Festschrift für A. Sauer, 1925, S. 12ff.

DERS., Die Entdeckung des Minnesangs und die deutsche Sprache. In: Burdach, Vorspiel II, 1926.

DERS., Die Sprache des jungen Goethe. In: ebda II, 1926, S. 38ff.

K. DANIELS, Erfolg und Mißerfolg der Fremdwortverdeutschung. Schicksal der Verdeutschungen von J. H. Campe. In: Muttersprache 69, 1959, S. 46ff., 105ff.

E. ERÄMETSÄ, Englische Lehnprägungen in der deutschen Empfindsamkeit des 18. Jahrhunderts, 1955.

W. FELDMANN, Wieland als Sprachreiniger, 1903, S. 58ff. (Beihefte zur Zeitschrift des Allgemeinen Deutschen Sprachvereins, 4. Reihe, Heft 22).

DERS., Modewörter des 18. Jahrhunderts. In: ZfdWf. 6, 1904, S. 101ff.

DERS., Fremdwörter und Verdeutschungen des 18. Jahrhunderts. In: ebda 8, 1906/07, S. 49ff.

DERS., Die Große Revolution in unserer Sprache. In: ebda 13, 1912, S. 255ff.

L. GOLDSTEIN, Beiträge zu lexikalischen Studien über die Schriftsprache der Lessingperiode. In: Festschrift für O. Schade, 1896, S. 51ff.

M. HOCHGESANG, Wandlungen des Dichtstils, dargestellt unter Zugrundelegung deutscher Macbeth-Übertragungen, 1926.

G. HOLZ, J. H. Campe als Sprachreiniger und Wortschöpfer, Diss. Tübingen 1950 [Masch.].

M. H. JELLINEK, Bemerkungen über Klopstocks Dichtersprache. In: Vom Geiste neuer Literaturforschung, Festschrift für O. Walzel, 1924.

M. JÖRIS, Goethes Stellung zu Fremdwort und Sprachreinigung. In: Preußische Jahrbücher 145, 1911, S. 422ff.

G. KONRAD, Herders Sprachproblem im Zusammenhang der Geistesgeschichte, 1937.

W. KUHBERG, Verschollenes Wortgut und seine Wiederbelebung in neuhochdeutscher Zeit, 1933.

O. LADENDORF, Historisches Schlagwörterbuch, 1906.

A. LANGEN, Verbale Dynamik in der dichterischen Landschaftsschilderung des 18. Jahrhunderts. In: ZfdPh. 70, 1949, S. 249ff.

DERS., Klopstocks sprachgeschichtliche Bedeutung. In: Wirk Wort 3, 1952/53, S. 330ff.

DERS., Der Wortschatz des 18. Jahrhunderts. In: Maurer/Stroh, Deutsche Wortgeschichte II, [2]1959, S. 23ff.

L. LUBOVIUS, Sprachgebrauch und Sprachschöpfung in Wielands prosaischen Hauptwerken, Diss. Freiburg 1901.

TH. MATTHIAS, Lessing auf den Bahnen des Sprachvereins, 1902, S. 11 (Wissenschaftliche Beihefte zur Zeitschrift des Allgemeinen Deutschen Sprachvereins, Reihe 4, Heft 21).

F. MÜHLENPFORDT, Der Einfluß der Minnesinger auf die Dichter des Göttinger Hains, Diss. Leipzig 1899.

M. MÜLLER, Wortkritik und Sprachbereicherung in Adelungs Wörterbuch, 1903 (Palästra 14).

G. MUTHMANN, Der religiöse Wortschatz in der Dichtersprache des 18. Jahrhunderts, Diss. Göttingen 1949.

M. PFLAUM, Die Entwicklung des Wortes Zivilisation. In: Wirk Wort XII, 1962, 2, S. 73–79.

DERS., Geschichte des Wortes Zivilisation, Diss. München 1961.

W. PFLEIDERER, Die Sprache des jungen Schiller in ihrem Verhältnis zur neuhochdeutschen Schriftsprache. In: Beiträge 28, 1903. S. 273ff.

P. PIETSCH, Leibniz und die deutsche Sprache 1907f. (Wissenschaftliche Beihefte zur Zeitschrift des Allgemeinen Deutschen Sprachvereins, Reihe 4, Heft 29/30).

H. PROTZE, Das Westlausitzische und Ostmeißnische. Dialektgeographische Untersuchungen zur lausitzisch-obersächsischen Sprach- und Literaturgeschichte, 1957.

H. F. ROSENFELD, Der Wortgebrauch Friedrich August Wolfs. Ein Beitrag zur Sprache des Neuhumanismus. In: Worte und Werte, Festschrift Bruno Markwardt 1961, S. 338–348.

A. SCHROETER, Geschichte der deutschen Homer-Übersetzung im 18. Jahrhundert, 1882.

H. SPERBER, Beiträge zur Geschichte der deutschen Sprache im 18. Jahrhundert. In: ZfdPh. 52, 1927 S. 331ff.; 54, S. 86ff.

DERS., Die Sprache der Aufklärung. In: ZfDk. 43, 1929, S. 777ff.

DERS., Der Einfluß des Pietismus auf die Sprache des 18. Jahrhunderts. In: DVjs. 8, 1930, S. 149ff.

W. STAMMLER, Politische Schlagwörter in der Zeit der Aufklärung. In: Stammler, Kleine Schriften zur Sprachgeschichte, 1954, S. 48ff.

E. STEIGER, Mundart und Schriftsprache in der zweiten Hälfte des 18. Jahrhunderts, Diss. Freiburg 1919.

H. L. STOLTENBERG, Vernunftsprachtum. In: Maurer–Stroh, Deutsche Wortgeschichte II, [1]1943, S. 157ff.

R. UNGER, Hamanns Sprachtheorie im Zusammenhange seines Denkens, 1905.

DERS., Hamann und die Aufklärung, [2]1925.

O. Walzel, Barockstil bei Klopstock. In: Festschrift für M. H. Jellinek, 1928.
W. Wagner, Die Sprache Lessings und ihre Bedeutung für die deutsche Hochsprache. In: Muttersprache 71, 1961, 4, S. 108 bis 117.
H. Weber, Herders Sprachphilosophie, 1939.
E. Wolff, Gottscheds Stellung im deutschen Bildungsleben, Bd 2, 1895ff.

2. 19. Jahrhundert: Jüngeres Neudeutsch

Allgemeine Anerkennung einer Schriftsprache, die nun so gut wie alle Bezirke des Lebens und der Kultur umschließt, sich landschaftlich und in den verschiedenen sozialen Schichten immer mehr ausbreitet und, abgesehen von Schreibweise und Aussprache, im wesentlichen schon eine Einheit darstellt, das ist das Erbe, das im 19. Jahrhundert von der voraufgegangenen Zeit übernommen wird. Auch das Niederdeutsche scheidet zu Anfang des Jahrhunderts vollends als Urkundensprache aus: 1809 geht zum Beispiel das Lübecker Oberstadtbuch zum Hochdeutschen über; auch für Predigten wird es nicht mehr benutzt. Was jetzt folgt, ist weiterer innerer Ausbau und Verstärkung der Einheit der Hochsprache.

Im 19. Jahrhundert vergrößert sich der deutsche Sprachraum, besonders durch die Auswanderung nach Übersee, namentlich nach USA. Auch der sonstige Geltungsbereich des Deutschen erweitert sich, zumal nach der 1870 erfolgten Gründung des Kleindeutschen Reiches und im Zusammenhang mit dem sich entfaltenden Welthandel und der Entstehung deutscher Kolonien.

a) Bis zu den 70er Jahren des 19. Jahrhunderts: Die Schriftsprache auf dem Wege zur Gemeinsprache.

Das sich verstärkende Sprachbewußtsein äußert sich seit dem Beginn des 19. Jahrhunderts nicht mehr so sehr in dem Streben nach einer normativen grammatischen Regelung der Sprache, sondern jetzt und auch künftighin eher in Bemühungen um ihre Reinigung und weitere Vereinheitlichung sowie vor allem in der zunehmenden Beschäftigung mit der Sprachgeschichte, zunächst im Sinne der historischen Grammatik, und (seit der Entdeckung des Sanskrits) mit der

Sprachvergleichung. Jacob Grimm begründet mit seiner *Deutschen Grammatik* (1819–1837) die wissenschaftliche Erforschung der deutschen Sprache, die seitdem einen hervorragenden Platz in der Philologie einnimmt. Die Wortforschung wird fortgeführt: Campe veröffentlicht 1801 sein Verdeutschungswörterbuch und andere Wörterbücher und bereichert zusammen mit dem anderen 'Vernunftsprachler', Radlof, das Deutsche durch viele neue Wortzusammensetzungen. In ihrem *Deutschen Wörterbuch* (1854ff.), das erst in unseren Tagen seine Vollendung erlebte (1960), unternehmen es die Brüder Grimm, den Wortschatz der Jahrhunderte zusammenzufassen.

Auch die Bemühungen um weitere Vereinheitlichung des Deutschen werden fortgesetzt. Jacob Grimm erneuert wie vorher schon Campe die Forderung, eine einheitliche Schreibweise zu schaffen; er will sie auf historisch-etymologischer Grundlage verwirklichen und zur Kleinschreibung der »Hauptwörter« zurückkehren.

Die Zeit der Klassik und Romantik ist die letzte Epoche, in der die Dichtung die Hochsprache entscheidend formt. Auf die klassische und romantische Dichtung geht im wesentlichen die heutige Gestalt der Schriftsprache zurück; die Laute und Formen, vor allem aber auch die Satzfügung, haben sich seitdem nur wenig gewandelt. Später jedoch bedient sich die Dichtung, zumal der Roman und das Drama, zum Teil bewußt der Sprache des Alltags, in extremer Form dann im Naturalismus. Der Einfluß der Dichtersprache wird nun durch den des Zeitungsdeutsch stark zurückgedrängt.

Wie schon das 18. Jahrhundert, so erneuert auch jetzt die romantisch geprägte oder beeinflußte Dichtung Wörter früherer Sprachstufen *(Ahn, Hüne, kosen)* und erweitert Wortfamilien wie *Volk, Sprache, Gefühl, Nacht, Wunder* und *Zauber.* Schiller und Goethe, Hölderlin und Grillparzer schaffen wie schon Klopstock und Voss nach griechischem Muster zahlreiche zusammengesetzte Wortbildungen wie *Gedankenfreiheit, Festgesang, göttergleich, gottverlassen.* Vor allem aber beginnt mit dem hereingebrochenen technischen Zeitalter für das Deutsche wie für alle Kultursprachen eine entscheidende Umgestaltung des Wortschatzes, vgl. Neubildungen wie *Dampfmaschine, Dampfschiff/Dampfer, Näh maschine, Zug*. Sie geschieht in Deutschland wie in anderer europäischen Sprachgemeinschaften deutlich auch unte englischem Einfluß (vgl. *Lokomotive, Tunnel, Smoking, Sport*)

Die Volkssprache gewinnt im Zusammenhang mit der sei der Romantik steigenden Wertschätzung der sozialen Grund schicht an Achtung und tritt stärker in das Blickfeld de Forschung. Mundartwörter wie tirolisch *Sommerfrische* ode schweizerisch *Föhn* werden in den hochsprachlichen Wort schatz aufgenommen.

Kaum jemand sieht freilich, daß durch die wirtschaft lichen, politischen und psychologischen Veränderungen de Jahrhundertwende (beginnende Industrialisierung, Freizügig keit, Verschwinden der Kleinterritorien, allgemeine Schul pflicht, Entwicklung einer fortschrittlichen Haltung) ein entscheidende Umformung der Volkssprache, besonders ein lautliche Angleichung der Mundarten, eingeleitet wurde; si ist vor allem von dem Leitbild einer einheitlichen Schrift sprache her bestimmt, die auf dem Wege ist, zur Gemein sprache aller Schichten zu werden. Die Zwischenschicht de Umgangssprachen beginnt sich stärker zu entfalten.

b) Von den 70er Jahren bis zur Jahrhundertwende: Von der Schriftsprache zur Einheitssprache

Als Frucht der neuen Staatlichkeit wird nach 1870 endlic den seit den Tagen der Sprachgesellschaften nicht erlöschen den Bestrebungen Erfüllung zuteil, die auch die Einheitlich keit der Rechtschreibung und der Aussprache verwirkliche wollen. Der Staat tritt dabei zum erstenmal in der deutsche Geschichte als Sprachregler auf. 1876 kam es auf der Berline Konferenz zu einer weitgehenden Annäherung der Recht schreibvorschriften der deutschen Länder, und 1901 wurd die Rechtschreibung für das Deutsche Reich, Österreich un die Schweiz einheitlich festgelegt. Das Ergebnis, das in de Hauptsache auf dem von dem Germanisten KARL VON RAU MER vertretenen phonetischen Prinzip beruht und das vo allem in DUDENS *Rechtschreibbuch* niedergelegt ist, bleib allerdings in vielem uneinheitlich und unbefriedigend.

Um die Jahrhundertwende wurde auch für das gesprochene Deutsch eine einheitliche Regelung getroffen: 1898 erschien die *Deutsche Bühnensprache* des Germanisten THEODOR SIEBS, die sich stark an die norddeutsche Sprechweise anlehnt.

So kann die neudeutsche Hochsprache seit der Jahrhundertwende als Einheitssprache bezeichnet werden, wenn auch gewisse landschaftliche Unterschiede des Wortgebrauchs und geringere der Flexion, größere der Aussprache weiterbestehen.

Das Zeitalter der Technik und der Wirtschaft wie die politischen und staatlichen Neuerungen und das Aufkommen des Sports führen zu weiteren, einschneidenden Wandlungen des Wortschatzes, teils durch Neubildungen auf dem Wege der Zusammensetzung und Ableitung wie der Entlehnung aus anderen Sprachen und Sprachstufen, teils durch Veränderung der Wortinhalte. Einige Beispiele mögen für viele stehen: *Motor* (aus franz. *moteur*), *Gummiball, -band, Briefmarke,* kaufmännisch *Geschäft* (an Stelle von *Handlung*). Die neuen Wörter sind nicht selten auch Lehnprägungen besonders nach englischem Vorbild, vgl. *Leitartikel* (nach engl. *leading article*), *Selbstverwaltung* (engl. *self government*), *Großmacht* (franz. *grande puissance*).

Die Zeit nach 1870 ist im Zeichen eines ausgeprägten, zum Teil verengten Nationalgefühls aber auch durch eine starke Welle von Sprachreinigungsbestrebungen gekennzeichnet – die vierte nach denen der Humanisten, der Sprachgesellschaften und nach denen des ausgehenden 18. Jahrhunderts. In Deutschland sind es Behörden wie die Post- und Bahnverwaltung und das Militär, Sportverbände, namentlich aber seit 1885 der Allgemeine Deutsche Sprachverein, die viele Eindeutschungen fremder Wörter einführen oder vorschlagen, von denen sich ein großer Teil durchgesetzt hat. So wird *Publizität* durch *Öffentlichkeit* ersetzt, *Magazin* durch *Geschäft, poste restante* durch *postlagernd, Coupé* durch *Abteil, goal* durch *Tor* (beim Fußball), *Terrainrekognoszierung* durch *Geländeerkundung*. Deutlich ist die Neigung zu drei- und viergliedrigen Zusammensetzungen wie *Oberbürgermeister, Vizegeneralstaatsanwalt*.

Die Volkssprache, bei der sich die Neigung zum landschaftlichen Ausgleich verstärkt, wird, besonders seit den 80er Jahren, in ihrer gegenwärtigen Gestalt wie in ihrem geschichtlichen Werden zum Gegenstand systematischer Untersuchung der Junggrammatiker wie namentlich der Sprachgeographen; jetzt erst wird ein genaueres Bild der Mundarträume erarbeitet. Die landschaftlichen Umgangssprachen gewinnen noch mehr an Bedeutung.

D. BÄNSCH, Zur Sprache und Sprachentwicklung bei Wilhelm Raabe. In: Jb. d. Raabe-Ges. 1960, S. 140–188.
A. P. BERKHOUT, Biedermeier und poetischer Realismus. Stilistische Beobachtungen..., Diss. Amsterdam 1942.
MATHILDE DEININGER, Untersuchungen zum Prosastil von W. Hauff, E. Mörike, Annette von Droste-Hülshoff, Fr. Grillparzer und A. Stifter, Diss. Tübingen 1946 [Masch.].
O. DÖLL, Die Entwicklung der naturalistischen Form, 1910.
E. FIESEL, Die Sprachphilosophie der deutschen Romantik, 1927.
E. GÜNZBURGER, Stileigenheiten der Romantik, Diss. 1933.
A. HÜBNER, Goethe und die deutsche Sprache, 1932.
FR. KAINZ, Die Sprachästhetik der jüngeren Romantik. In: DVjs. 16, 1938, S. 219ff.
DERS., A. W. Schlegel und die deutsche Sprache. In: Dichtung u. Volkstum 39, 1938, S. 261ff.
DERS., Klassik und Romantik. In: Maurer/Stroh, Deutsche Wortgeschichte II, ²1959, S. 223ff.
F. MAURER, Die Sprache Goethes, 1932.
O. PNIOWER, Goethe als Wortschöpfer. In: Euphorion 31, 1930, S. 362ff.
W. RAHMELOW, Zu den Anfängen des feuilletonistischen Stils, Diss. Freiburg 1936.
R. THOMAS, Wandlungen der deutschen Sprache seit Goethe und Schiller, 1922.
LUISE THON, Die Sprache des deutschen Impressionismus, 1928.
K. WAGNER, Das 19. Jahrhundert. In: Maurer/Stroh, Deutsche Wortgeschichte II, ²1959, S. 409ff.
G. WUSTMANN, Allerhand Sprachdummheiten, ¹1891, ¹³1955.
J. ZEIDLER, Die deutsche Turnsprache bis 1819, 1942.

3. 20. Jahrhundert: Deutsch der Gegenwart

Das sprachliche Werden des letzten halben Jahrhunderts entzieht sich noch in vielem der Durchschauung und Deutung. Häufig lassen sich nur Entwicklungstendenzen feststellen, die oft in die voraufgehende Zeit zurückreichen.

Eine zweimalige Schrumpfung des deutschen Sprachraums ist die Folge der beiden Weltkriege. 1919 weicht die deutsche Sprachgrenze im Nordosten zurück, und Deutschland nimmt etwa 3 Millionen Sprachgenossen aus den östlichen und westlichen Grenzbereichen auf. In und nach dem Zweiten Weltkrieg strömen etwa 12 Millionen Nordost- und Südostdeutsche in binnendeutsches Gebiet ein: östlich einer Linie, die durch Oder, Görlitzer Neiße, die deutsch-tschechische und die österreichisch-ungarische Staatsgrenze gekennzeichnet ist, werden die Träger der deutschen Sprache, außer in Rumänien, ausgesiedelt; doch sind auch in den anderen Staaten, abgesehen von Jugoslawien, noch viele Deutschsprachige zurückgeblieben (zusammen mit Rumänien wohl über 1 Million), zu denen etwa 1½ Millionen in Sowjetrußland kommen. Die Zahl der Sprachdeutschen in Nord- und Südamerika verringert sich ebenfalls. Nach der Katastrophe des Zweiten Weltkriegs ist das Jiddische, das bis dahin von etwa 12 Millionen gesprochen wurde, in seinem Weiterbestand gefährdet. Auch für die Geltung des Deutschen im anderssprachlichen Ausland brachten die beiden Kriege schwere Rückschläge, die nur zum Teil wieder aufgeholt wurden, zumal sich das Englische in zunehmendem Maße zur westlichen Weltsprache entwickelt, der das Russische als östliche gegenüberzutreten begonnen hat.

Was den Sprachkörper betrifft, so zeichnen sich in den Bereichen bewußter Regelung deutlich bestimmte Bestrebungen ab. Seit den 40er Jahren wurde die Fraktur weitgehend durch die Antiqua ersetzt. Es verstärken sich auch Bestrebungen, die nur noch im Deutschen bestehende Großschreibung des 'Hauptworts', das begrifflich nicht scharf zu fassen ist, aufzugeben. Diese und andere Fragen der Rechtschreibung bewegen besonders seit dem Zweiten Weltkrieg große Teile der Sprachgemeinschaft stark. Die 1958 von einem westdeutschen staatlichen Ausschuß beschlossenen »Empfehlungen« schlagen u. a. die international übliche sogenannte »gemäßigte Kleinschreibung« vor.

Die Bühnensprache aber wird zur 'Hochlautung', die mehr und mehr bei aller Art von Rezitation, weithin auch beim Rundfunk verwendet wird und deren Einfluß sich auch schon bei der öffentlichen Rede sehr bemerkbar macht. Es scheint, daß neben das Ideal der Schreib- auch das der Sprechrichtigkeit treten will.

Der Formenbau zeigt eine Tendenz zu fortschreitendem Ausgleich, zur Vereinfachung und zur analytischen Bildungsweise. So tritt in wachsendem Maße, ausgehend von den zusammengefallenen Formen des Plurals, der Konjunktiv der Vergangenheit an die Stelle desjenigen der Gegenwart *(er sagte, er käme* – statt *er komme)*. Der Umlaut als (synthetisches!) Bildungsmittel des Plurals dringt vor (vgl. *Läger, Abwässer*). Es schwindet das unbetonte *e* des männlichen und sächlichen starken Dativs wie des Genitivs (vgl. *in diesem Buch* statt *Buche* und *des Rings* statt *Ringes*), und auch das -*s* des Genitivs ist nicht mehr bloß bei Eigennamen (zumal bei solchen mit adjektivischen Attributen) im Rückgang. Schrieb Goethe *Die Leiden des jungen Werthers,* so heißt es schon lange *die Denkmäler des alten Rom,* aber auch schon *die Dichtung des Barock,* ja *die Tage des Mai, die Bitten des Vaterunser*. Der Artikel, nicht mehr die Flexionsendung, bezeichnet also in zunehmendem Maße den Kasus. Die Neigung zu umschreibenden (analytischen) Formen verstärkt sich auch sonst, in der Volks- und Umgangssprache beim Genitiv *(der Hut von meinem Vater, meinem Vater sein Hut),* in der Umgangs- wie auch schon in der Hochsprache beim Konjunktiv der Vergangenheit (wobei der Ausgangspunkt der Formenzusammenfall bei den schwachen Verben ist): *er sagte, er würde morgen kommen,* und auch schon: *wenn er kommen würde* (statt nach der Regel: *käme*).

Im Satzbau zeigt sich eine Neigung zur Vorausnahme durch *es, dies* usw., vgl. *er gesteht es, daß er nicht mehr daran gedacht habe,* namentlich aber durch substantivische Konstruktionen. Ein Satz wie: *Ich bitte Sie, das Rauchen im Saal zu unterlassen* bringt den Hauptinhalt früher als das einfache verbale: *Ich bitte Sie, im Saal nicht zu rauchen.* Die Tendenz zum Nominalstil ist ein ausgeprägtes Kennzeichen des neueren Deutsch, ein zunächst neutrales Stilmittel, das aber oft mißbraucht wird.

Im Bereich des Wortschatzes verwendet man neben sehr beliebten mehrgliedrigen Zusammensetzungen oft umschrei bende Bildungen wie *unter Beweis stellen* statt *beweisen.* Sie zeigen zugleich wieder die Neigung zu substantivischen statt verbalen Konstruktionen, die, vielleicht durch angelsächsischen Einfluß gestützt, aus dem Streben nach Kürze und zugleich aus der Neigung zur Abstraktion entstehen. Neue abstrakte Substantive, besonders auf *-heit, -keit, -tum, -ung* und *-ismus,* werden in Überfülle gebildet. Die Wörter nützen sich schneller ab als in früheren Zeitabschnitten: kennzeichnend für die Entleerung der Begriffsinhalte ist etwa, daß häufig Bezeichnungen bestimmter Epochen *(Renaissance, Barock)* nun auf andere, verwandte, übertragen werden. In der zunehmenden Abstraktion liegt überhaupt eine große Gefahr, welche die Romantiker richtig empfunden haben: die Sprache droht zu sehr entsinnlicht zu werden, und dies vermindert ihre Aufnahmefähigkeit für neue Begriffe.

Differenzierung ist das Hauptkennzeichen der Wortentwicklung. Es setzt sich auch die ungeheuere Erweiterung des Wortschatzes in denselben Sachgebieten wie im 19. Jahrhundert fort; es sei nur auf den Ausbau neuer Wortfamilien um Wörter wie *Rundfunk, Fernsehen, Atom, Kern, Rakete* hingewiesen. Die Eindeutschungsbestrebungen nehmen bis zum und vor allem im Ersten Weltkrieg ihren Fortgang; sie verstärken sich wieder in der Zeit des Nationalsozialismus, der aber gleichzeitig das Fremdwort häufig verwendet. Nach jedem der beiden Weltkriege setzte eine Reaktion auf den voraufgehenden sprachlichen Purismus ein, die sich zum Teil in einer starken Neigung zur Aufnahme namentlich angelsächsischer Wörter äußerte (*Boom, Jazz, Team,* nach 1945: *Hobby, Job, Trend, Fan, Make-up, smart* usw.).

Viele vorübergehende Veränderungen des Wortschatzes brachten die beiden Weltkriege (vgl. *Brotkarte, Urlauberzug*), und auch die nationalsozialistischen Wortprägungen wie *Mädelschaft, Staatsjugend, Thingplatz* sind ebenso verschwunden wie die Umprägungen von Wörtern wie *Art, Rasse, Lager.*

Eine wesentliche Tendenz des heutigen Deutsch, sowohl was die innere Form wie auch was das sozialgeographische Gefüge angeht, ist der Ausgleich. In vertikaler Richtung findet eine Annäherung der Volkssprache an die Umgangssprachen statt, die ihrerseits zur Hochsprache hintendieren.

In abgestuftem Maße beginnen weithin an die Stelle der Mundarten großräumigere Umgangssprachen zu treten, die gewisse Ansätze zu einer gemeindeutschen Form zeigen. Als landschaftliche Umgangssprachen zeichnen sich namentlich ab eine württembergische, badische, bayerisch-schwäbische, österreichische, pfälzische, hessische, obersächsische, berlinische, das hochdeutsch-niederdeutsche 'Missingsch' (= Meißnische), früher auch eine ostpreußische.

Aber auch innerhalb der Hochsprache findet in Binnendeutschland ein Ausgleich der resthaft bestehenden landschaftlichen Eigentümlichkeiten besonders des Wortschatzes statt, und zwar zumeist zugunsten nördlicher Formen: vgl. *Sonnabend, (Akten)tasche, Fleischer,* die gegen südliche und westliche Formen *(Samstag, Mappe, Metzger)* vordringen. Auch auf flexivischem Gebiet gewinnt nördliches *er hat gestanden, gesessen* gegenüber südlichem *er ist gestanden, gesessen* Raum. Die Randbezirke des deutschen Sprachraums freilich, Österreich, Luxemburg, die deutschsprachigen Gebiete der Schweiz, des Elsaß und Lothringens usw. haben noch immer ihre Eigenheiten lexikalischer wie zum Teil flexivischer Art; vor allem weist deren Wortschatz neben heimischen Eigenheiten (z. B. österr. *Sessel* für Stuhl, *Schlagobers* für Sahne; schweiz. *Buße* für Strafe, *Saaltochter* für Kellnerin) noch sehr viel mehr fremde Wörter auf als der binnendeutsche (vgl. *Telephon – Fernsprecher, Annonce – Anzeige, Trolleybus – Obus* < *Oberleitungs-Bus, Offerte – Angebot, Coupé – Abteil*).

Dieser Wortschatz ist seit 1945 durch eine neuerliche Sonderung bedroht, die auf die Spaltung Deutschlands zurückgeht. Namentlich der politische, soziale, wirtschaftliche, kulturelle, offizielle Wortschatz der Sowjetzone weist bedeutende Unterschiede gegenüber dem westdeutschen auf. Die Besonderheiten stammen, soweit es sich nicht um Neubildungen handelt, aus dem Wortschatz der Französischen Revolution, aus dem der Volkswirtschaft und des Sozialismus des 19. Jahrhunderts wie zum Teil des Nationalsozialismus, aus dem religiösen Bereich, schließlich aus dem sowjetrussischen Vokabular. Den westdeutschen Neuprägungen *Bundestag, Heimatvertriebener* stehen *Volkskammer, Umsiedler* gegenüber, zu denen sich Bildungen wie *Volkspolizei, Volksdemokratie, Lernsoll, Patientensoll* gesellen. Die neuen angelsächsischen Fremd- und Lehnwörter sind auch im Osten Deutschlands zu finden. Russischer Einfluß zeigt sich vor allem in indirekter Form in Lehnprägungen wie *Volkssolidarität, Schnelldreher* und namentlich in Lehnbedeutungen wie *Brigade* (politische Arbeitsgruppe), *Kader* (Gruppe politischer Nachwuchskräfte).

Vor allem aber haben viele gemeindeutsche Wörter nach dem Vorbild des Russischen des Kommunismus eine andere oder eine zweite Bedeutung bekommen. So meint *Freiheit* determinierte Freiheit, wird *Wissenschaft* im Sinne des historischen und dialektischen Materialismus gebraucht. Wie stark die Veränderung vieler Wortinhalte ist, kann schon ein Vergleich des Mannheimer und des Leipziger *Duden* deutlich vor Augen führen (vgl. z. B. *Demokratie, Kapitalismus, Kommunismus, Sozialismus, Agitation, Imperialismus*).

Von einer Spaltung der deutschen Sprache freilich sollte man nicht sprechen. Der Satzbau einschließlich der Formenlehre sind weiterhin gemeinsam, und die Regeln der Rechtschreibung und der Hochlautung sind dieselben geblieben. Auch der überwiegende Teil des Wortschatzes und der Wortinhalte stimmt überein. Wenn auch die angedeuteten Erscheinungen zunächst einer politischen Sondersprache angehören, so werden sie doch mit allen Mitteln ausgebreitet, und nicht wenige sind auch schon außerhalb der offiziellen Benützung in allgemeinerem Gebrauch. Vor allem breiten sich die sprachlichen Neuerungen unter der jungen Generation aus.

So steht dem innerdeutschen lexikalischen Ausgleich der Ansatz zu einer neuen Sonderung gegenüber. Ihre Grenze verläuft quer durch Deutschland, und sie ist zugleich eine Scheide zwischen einem westlichen und einem östlichen übernationalen Ausgleich des Wortschatzes. Vollzieht sich jener vor allem unter angelsächsischem Vorzeichen – die angeführten und viele andere angelsächsischen Entlehnungen sind westeuropäisch –, so erfolgt der andere unter russischer Führung.

DUDEN Rechtschreibung der deutschen Sprache. 15., erweit. Aufl. 1961. (»West-Duden«).
DUDEN Wörterbuch und Leitfaden der deutschen Rechtschreibung, Leipzig [15]1957 (»Ost-Duden«).
DUDEN Fremdwörterbuch, Mannheim, 1960.
TH. SIEBS, Die deutsche Hochsprache, [14]1958.

F. DORNSEIFF, Der deutsche Wortschatz nach Sachgruppen. Mit alphabet. Generalregister, [5]1959.
H. KÜPPER, Wörterbuch der deutschen Umgangssprache, 1955.
L. MACKENSEN, ABC. Der tägliche Wortschatz, 1956.
ÖSTERREICHISCHES WÖRTERBUCH, Mittlere Ausgabe, [9]1952.
HUGO WEHRLE – HANS EGGERS, Deutscher Wortschatz. Ein Wegweiser zum treffenden Ausdruck. 12., völlig neu bearb. Aufl. 1961.,

DUDEN Grammatik der deutschen Gegenwartssprache, hg. von P. Grebe, 1959.
DUDEN Stilwörterbuch der deutschen Sprache, bearb. von P. Grebe und G. Streitberg, [4]1956.
J. Erben, Abriß der deutschen Grammatik, [3]1960.
H. GLINZ, Die innere Form des Deutschen. Eine neue deutsche Grammatik, 2., nachgeführte Aufl., 1961.
DERS., Der deutsche Satz, [2]1961.
P. JØRGENSEN, Tysk Grammatik København, Bd 1 1953, Bd 2 1959.
DERS. German grammar vol. I. Revised ed. translated by G. Kolisko in consultation with the autor, and with F. P. Pikkering. 1959

W. ADMONI, Der deutsche Sprachbau. Theoretische Grammatik der deutschen Sprache, Leningrad 1960.
E. ARNDT, Begründendes »da« neben »weil« im Neuhochdeutschen. In: Beiträge (Halle) 82, 1960, 1/2, S. 242–260.
H. BARTHOLMES, Tausend Worte Sowjetdeutsch, mschr. Tentamensarbeit, Göteborg 1956.
K. BAUMGÄRTNER, Zur Syntax der Umgangssprache in Leipzig, 1959.
HILDEGARD BAUR, Untersuchungen zur Gestalt der deutschen Schriftsprache in Österreich sowie in den deutschen Siedlungsgebieten Südosteuropas, Diss. Tübingen 1956.
ELFRIEDE BEIER, Wege und Grenzen der Sprachnormung in der Technik. Beobachtungen aus dem Bereich d. dt. techn. Sprachnormung, Diss. Bonn 1960.
CORNELIA BERNING, Die Sprache des Nationalsozialismus. In: ZfdWf. 16, 1960, H. 1/2, S. 71–119, H. 3, S. 178–188; 17, 1961, H.1/2, S. 83–121.
W. BETZ, Der zweigeteilte Duden. In: DU 12, 1960, 5, S. 82–98.
M. BIERWISCH, Zur Morphologie des deutschen Verbalsystems. Diss. Leipzig 1961. (Masch.)

J. Born, Zur Sprache des Oberkommandos der Wehrmacht. In: WirkWort 9, 1959, 3, S. 160–169.

O. Brenner, Die lautlichen und geschichtlichen Grundlagen unserer Rechtschreibung, [2]1914.

H. Brennert, Modeworte aus dem Mitteleuropäischen, 1898.

H. Brinkmann, Die Wortarten im Deutschen. In: WirkWort I, 1950, S. 65ff.

Ders., Der Umkreis des persönlichen Lebens im deutschen Dativ. In: Muttersprache 1953, S. 104ff.

Ders., Satzprobleme. In: WirkWort VIII, 1957/58, S. 129ff.

Ders., Die Struktur des Satzes im Deutschen. In: Neuphil. Mitt. LX, 1960, 4, S. 377–401.

Ders., Die deutsche Sprache. Gestalt und Leistung, 1962

M. Bues, Die Versportung der deutschen Sprache im 20. Jahrhundert. 1937.

T. Dahlberg, Fremdwörter und Politik in Ostdeutschland. In: Moderne Sprachen 54, 1960, 4, S. 368–377.

M. Dietz, Der Wortschatz der neueren Leibesübungen, Diss. Freiburg 1937.

H. Dunger, Die deutsche Sprachbewegung und der Allgemeine Deutsche Sprachverein, 1910.

H. P. Dürsteler, Sprachliche Neuschöpfungen im Expressionismus, Diss. Bern 1954.

H. Eggers, Zur Syntax der deutschen Sprache der Gegenwart. In: Studium Generale 15, 1962, I., S. 49–59.

Ders., Wandlungen im deutschen Satzbau. In: DU 13, 1961, H. 5, S. 47–61.

J. Erben, Zur Geschichte der deutschen Kollektiva. In: Sprache, Schlüssel zur Welt. Festschrift für Leo Weisgerber, 1959, S. 221–228.

Ders., Gesetz und Freiheit in der deutschen Hochsprache der Gegenwart. Norm-Spielraum-Verstöße. In: DU 12, 1960, 5, S. 5–28.

W. M. Esser, Gutes Amtsdeutsch, 1930.

W. Esser, Grammatische und psycholog. Kategorien in der deutschen Satzanalyse. In: DU 13, 1961, 3, S. 5–16.

D. Faulseit und G. Kühn, Stilistische Mittel und Möglichkeiten der deutschen Sprache, 1961.

H. E. Fiechtner, Fremde Einflüsse in der Sprache und in den sprachlichen Gütern der Bessarabiendeutschen, Diss. Tübingen 1952.

W. Flämig, Zum Konjunktiv in der deutschen Sprache der Gegenwart, 1959.

W. Henzen, Eine Systematik der infiniten Verbformen. In: Muttersprache 64, 1959, 4, S. 115–127.

F. Herrmann, Modische Erscheinungen im heutigen Deutsch, Diss. Heidelberg 1931.

R. Hotzenköcherle, Großschreibung oder Kleinschreibung? In: DU, H. 3, 1955, S. 20ff.

St. Kaiser, Die Spracheigentümlichkeiten der Schweizerdeutschen Tageszeitungen von 1952 bis 1955 (Manuskript), 1956.
E. Kaufmann, Der Fragenkreis um das Fremdwort. In: Journal of English and German Philology 38, 1939, S. 42ff.
F. Kiener, Die Zeitungssprache, 1937 (Zeitung u. Leben. Bd 43).
Ruth Klappenbach, Gliederung des deutschen Wortschatzes der Gegenwart. In: DU 12, 1960/61, 5, S. 29–45.
V. Klemperer, L(ingua) T(ertii) I(mperii), 1947.
G. Kolb, Der inhumane Accusativ. In: ZfdWf. 16, N. F. I. 1960, 3, S. 168–177.
G. Korlén, Zur Entwicklung der deutschen Sprache diesseits und jenseits des eisernen Vorhangs. In: Deutschunterricht für Ausländer, 1959, S. 1–26.
K. Korn, Sprache in der verwalteten Welt, [2]1959.
P. Kretschmer, Wortgeographie der hochdeutschen Umgangssprache, 1918.
J. Kusmin, Die Syntaktische Kategorie der Apposition in der deutschen Sprache der Gegenwart. (Verglichen mit der entsprechenden Kategorie d. Russischen.) Diss. Berlin, Humboldt-Univ. 1960.
O. Ladendorff, Historisches Schlagwörterbuch, 1906.
W. Lang, Der Konjunktiv im Deutschen und sein Widerspiel. In: DU 13, 1961, 3, S. 26–55.
Agathe Lasch, Berlinisch, 1927.
E. Leisi, Der Wortinhalt. Seine Struktur im Deutschen und Englischen, [2]1961.
W. Linden, Aufstieg des Volkes: Maurer/Stroh, Deutsche Wortgeschichte II, [1]1943, S. 378ff.
J. Ljungerud, Zur Nominalflexion in der deutschen Literatursprache nach 1900, 1955.
L. Mackensen, Sprache und Technik, 1953.
Ders., Die deutsche Sprache unserer Zeit, 1956.
Ders., Die deutsche Sprache in und nach der Vertreibung, 1959 (Die Vertriebenen in Westdeutschland III).
Ders., Über die sprachliche Funktion der Zeitung. Ein Vortrag aus der Arbeit der »Deutschen Presseforschung« zu Bremen. In: Worte und Werte, Festschrift Bruno Markwardt, 1961, S. 232–247.
Doris Magenau, Untersuchungen zur Form der deutschen Schriftsprache in Elsaß-Lothringen sowie in Luxemburg und in den deutschsprachigen Gebieten Belgiens, Diss. Tübingen 1956.
Dies., Besonderheiten der deutschen Schriftsprache im Elsaß und in Lothringen (Duden-Beiträge, Sonderreihe, hg. v. H. Moser, 6), 1962.
Helene Malige-Klappenbach, Die Entwicklung der Großschreibung im Deutschen. In: Wissenschaftliche Annalen 1955, S. 102ff.

F. MARTINI, Das Wagnis der Sprache. Interpretation deutscher Prosa von Nietzsche bis Benn, [2]1958.

ERICH MATTHIAS und HANSJÜRGEN SCHIERBAUM, Errungenschaften. Zur Geschichte eines Schlagwortes unserer Zeit. 1961.

E. MEHL, Zur Fachsprache der Leibesübungen. In: Muttersprache 1954, S. 240–242, S. 299–302.

DERS., Die Fachsprache der Leibesübungen als »Urkunde deutscher Bildungsgeschichte«. In: ebda 1956, S. 419ff.

R. M. MEYER, Das Alter einiger Schlagworte. In: Neue Jahrbücher für das klassische Altertum..., 3, 1900, S. 465ff., 554ff.

W. MITZKA, Stämme und Landschaften in deutscher Wortgeographie. In: Maurer/Stroh, Deutsche Wortgeschichte II, [2]1959, S. 561ff.

H. MOSER, Sprachgrenzen und ihre Ursachen. In: ZfMf. 22, 1954, S. 87ff.

DERS., Rechtschreibung und Sprache. Von den Prinzipien der deutschen Orthographie. In: DU 7, 1955, H. 3, S. 6ff.

DERS., Entwicklungstendenzen des heutigen Deutsch. In: Moderna Språk, 1956, S. 213ff.

DERS., Sprachliche Folgen der politischen Teilung Deutschlands, 1962 (Beiheft zu »Wirkendes Wort«, 3).

DERS., Mundart und Hochsprache im heutigen Deutsch. In: DU 8, 1956, H. 2, S. 36ff.

DERS., Umgangssprache. Überlegungen zu ihren Formen und ihrer Stellung im Sprachganzen. In: ZfMf. 27, 1960, S. 215ff.

DERS., Umsiedlung und Sprachwandel. In: Bildungsfragen der Gegenwart. Festschrift für Theodor Bäuerle, [2]1956, S. 121ff.

DERS., Groß- oder Kleinschreibung? Ein Hauptproblem der Rechtschreibreform, 1958 (Duden-Beiträge 1).

DERS., Neuere und neueste Zeit. In: Maurer/Stroh, Deutsche Wortgeschichte II, [2]1959, S. 445ff.

DERS., Eigentümlichkeiten des Satzbaus in den Außengebieten der deutschen Hochsprache (außerhalb der Grenzen von 1937). In: Sprache, Schlüssel zur Welt, Festschrift für L. Weisgerber, 1959, S. 195ff.

GERTRAUD MÜLLER und TH. FRINGS, Die Entstehung der deutschen daß-Sätze, 1959

E. ÖHMANN, Lehnprägungen in der deutschen Terminologie des Völkerrechts, der Diplomatie und der Außenpolitik. In: Wirk Wort, 3. Sonderheft, 1961, S. 8–11

L. O. PALMER, The Language of German Expressionism, 1938.

W. PFAFF, Zum Kampf um deutsche Ersatzwörter, 1933.

L. REINERS, Stilkunst. Ein Lehrbuch deutscher Prosa, [4]1951.

H. RENICKE, Grundlegung der neuhochdeutschen Grammatik. Zeitlichkeit-Wort-Satz, 1961.

Das Ringen um eine neue deutsche Grammatik, hg. v. H. Moser (Wege der Forschung XXV), 1962.

ELISE RICHTER, Fremdwortkunde, 1919.
H. RIZZO-BAUR, Die Besonderheiten der deutschen Schriftsprache in Österreich und in Südtirol (Duden-Beiträge, Sonderreihe, hg. v. H. Moser, 5), 1962.
F. RODENS, Die Zeitungssprache, 1938.
RENATE SCHÄFER, Zur Geschichte des Wortes »zersetzen«. In: ZfdWf. 18, N. F. 3 (1962), S. 40–80.
W. SCHNEIDER, Stilistische deutsche Grammatik, 1959.
W. SCHRÖDER, Zu Wesen und Bedeutung des würde- und Infinitiv-Gefüges. In: WirkWort 9, 1959, 2, S. 70–84.
E. SEIDEL u. I. SEIDEL-SLOTTY, Sprachwandel im Dritten Reich. Eine kritische Untersuchung faschistischer Einflüsse, 1961.
J. STAVE, Zehn Jahre Nachkriegsdeutsch. In: Muttersprache 1955, S. 373ff., 426ff., 465ff.
K. STEGMANN VON PRITZWALD, Das baltische Deutsch als Standessprache. In: Zeitschrift für Ostforschung 1, 1952, S. 407ff.
A. STEIGER, Schweizerisches Wortgut im Duden, Sonderdruck aus der Jährlichen Rundschau 1941 des Deutschschweizerischen Sprachvereins, 1942.
D. STERNBERGER, G. STORZ, W. E. SÜSKIND, Aus dem Wörterbuch des Unmenschen, 1958.
O. STEUERNAGEL, Die Einwirkungen des Deutschen Sprachvereins auf die deutsche Sprache, 1926.
H. STICKELBERGER, Modewörter und Neuwörter. In: Jährliche Rundschau des Deutschschweizerischen Sprachvereins Bern, 1925.
F. THIERFELDER, Deutsche Sprache im Ausland. In: DtPhiA I, ²1956, Sp. 499ff.
HELGA WACKER, Untersuchungen zur Gestalt der deutschen Schriftsprache beim Deutschtum der Vereinigten Staaten, Kanadas und Australiens sowie Südafrikas, Palästinas und Südamerikas, Diss. Tübingen 1956.
DIES., Besonderheiten der deutschen Schriftsprache in den USA (Duden-Beiträge, Sonderreihe, hg. v. H. Moser, 7), 1963.
L. WEISGERBER, Herr oder Höriger der Schrift? Das Vorspiel zur Rechtschreibereform. In: WirkWort, 2. Sonderheft 1954, S. 3ff.
DERS., Die Grenzen der Schrift – Der Kern der Rechtschreibreform, 1955 (Arbeitsgemeinschaft für Forschung des Landes Nordrhein-Westfalen, Geisteswissenschaften, H. 41).
DERS., Verschiebungen der sprachlichen Einschätzung von Menschen und Sachen, 1958 (ebda, Wissenschaftliche Abhandlungen Bd 2).
F. C. WEISKOPF, Verteidigung der deutschen Sprache, 1955, S. 52–73: »Ostdeutsch« und »Westdeutsch« oder über die Gefahr der Sprachentfremdung.
W. WILMANNS, Die Orthographie in den Schulen Deutschlands, ²1887, S. 164ff.

„Die Sprache ist der Spiegel der Nation.“ Diese Äußerung Schillers dürfen wir auch auf die Geschichte der deutschen Sprache anwenden – insbesondere auf die »innere« Geschichte, auf die Entfaltung der sprachlichen Inhalte, während wir die Entwicklung des äußeren Sprachbaus nur insoweit mit der Geschichte eines Volkes in eine unmittelbare Beziehung zu setzen vermögen, als sie auf Einflüssen von außen beruht.

Äußere und innere Kräfte haben das Bild der deutschen Sprache gestaltet. Zeiten stärkerer Aufnahme fremden Sprachguts wechseln mit solchen größerer Selbständigkeit und sprachlicher Ausstrahlungen. Das Frühdeutsche steht weithin im Schatten des Lateins und das hochmittelalterliche Deutsch zum Teil im Banne des Französischen wie des Provenzalischen, die Mystiker bauen noch stärker die heimischen Sprachmittel aus, während sich die Urkunden- und Handelssprache ebenso wie das Humanistendeutsch enger an das Lateinische anlehnen. Vom Mittelniederdeutschen geht dagegen eine starke Wirkung auf die Sprache der Nachbarvölker, besonders der skandinavischen, aus. Bewußt deutsch gibt sich die Sprache der Reformation, vor allem aus praktischen Gründen der Glaubensverkündigung, teilweise auch aus einer neuen, sich seit dem Spätmittelalter durchsetzenden Einstellung zur Muttersprache heraus. Unter dem Einfluß der Reformation wie später aus innerkirchlichen Gründen gewinnt das Deutsche auch im katholischen Gottesdienst wachsend an Raum. Seit der Barockzeit ist die Dichtung überwiegend deutschsprachig (die oberdeutsche lateinische Barockdichtung ist der letzte bedeutende Ausläufer deutscher lateinischer Dichttradition) und löst sich auch die Wissenschaftssprache von der übernationalen lateinischen Tradition, ja man beginnt, den fremden – lateinischen und französischen – Einfluß bewußt einzudämmen.

Dies zeigt, daß das Werden der Sprache auch ein Ausdruck der Entwicklung des Nationalgefühls ist. Mit dem jungen Sonderempfinden der werdenden Völker Mitteleuropas erwachsen seit dem 9. Jahrhundert Nationalsprachen, die sich neben dem Lateinischen als Hochsprachen befestigen und entfalten. Aber erst seit dem 17. Jahrhundert beginnt in Europa die eigentliche Zeit des Nationalempfindens, in der man bewußt an die Stelle einer übernationalen Einheitssprache, des Lateins, die Nationalsprachen setzt und diese ausbaut; als eine Erscheinung des Übergangs ist es zu werten, wenn zunächst und vorübergehend das Französische in Europa auf vielen Gebieten die Nachfolge des Lateins antritt. In Deutschland fällt im Gegensatz zu Frankreich und England die Entscheidung über die Form der Nationalsprache nicht im politischen, sondern im kulturellen Bereich: nicht die Sprache des politischen Schwerpunkts, das Oberdeutsche, setzt sich durch, sondern, letztlich als Folge der Wirkung Luthers, das Ostmitteldeutsche und damit die Sprache eines Raumes, in dem gegenüber den vornehmlich bildhaft-musikalischen Ausdrucksformen und der lateinischen Dichtung des Südens das deutsche künstlerische Wort überwog. Seit dem Ende des 18. Jahrhunderts fehlt Europa, der Welt, eine verbindende übernationale Sprache: die 'Weltsprachen', die sich seitdem entwickelten, sind in ihrer Geltung räumlich begrenzt. In demselben Maße, wie in unseren Tagen die Zeit der übersteigerten nationalen Sonderungen zu Ende geht und sich ein neues übernationales Empfinden bildet, verstärkt sich auch auf dem Gebiet der Wissenschaft und Forschung, der Wirtschaft und der Politik wieder das Bedürfnis nach einer allgemein anerkannten Sprache, die neben den Nationalsprachen steht.

In der deutschen Sprachgeschichte spiegeln sich aber auch die deutschen geistigen Schicksale. So drückt sich in ihr die Rezeption und die wachsende innere Aneignung des Christentums wie die zunehmende 'Weltlichkeit' der neueren Zeit aus. Das Religiöse und das Weltliche im weitesten Sinn haben die innere Entfaltung des Deutschen im Wechsel oder in der Gleichzeitigkeit bewirkt. Auf die Aneignung des Christentums im Frühdeutschen folgt die gottbezogene Weltlichkeit der höfischen Dichtersprache des Hochmittelalters. Im Spätmittelalter erwächst neben einer scholastischen deutschen Wissenschaftssprache die innerliche Sprache der Mystik und die der religiösen Erbauung, mit der die Sprache der Reformation in enger Verbindung steht, aber auch eine profane Verwaltungs- und Geschäftssprache, Fachsprachen und das Deutsch des Humanismus. Im Deutsch des Barocks gehen Gott und Welt eine Verbindung ein wie im hochmittelalterlichen Zeitraum, dessen Hochsprache ähnlich höfisch bestimmt war. Im 18. Jahrhundert erscheint (wenn man so scharf trennen darf) die 'Welt' eher in der Sprache der Aufklärung und des Sturms und Drangs, das Religiöse vor allem in der des Pietismus und in der Klopstocks. Die Romantik ist die letzte große geistige Bewegung, deren Sprache stark vom religiösen Bereich her mitgestaltet wird. Mit der zunehmenden Säkularisation des geistigen Lebens tritt dessen Einfluß auf die Sprache zugunsten der 'Welt' zurück und wird nur noch bei einzelnen Dichtern wirksam; in unseren Tagen erfährt eine religiös bestimmte Dichtersprache zum Teil eine neue Entfaltung.

Besonders aufgeschlossen sind wir heute für die sprachlichen Wirkungen, die von der Wirtschafts- und Sozialgeschichte ausgehen. In der deutschen Hochsprache erfährt (wie bei allen europäischen Kultursprachen) im Mittelalter zunächst der geistlich-kirchliche Bereich und dann der höfische einen besonderen Ausbau, während sich im Spätmittelalter neben der Sprache der Religion und der Philosophie vor allem die Urkunden- und Geschäftssprache und die handwerklichen Fachsprachen entwickeln. Erst in der Neuzeit entfaltet sich die Muttersprache langsam in allen Bezirken in vollem Maße. Dabei sind die Anführer der Entwicklung zunächst gelehrte Mönche und Geistliche, dann der weltliche Adel, seit dem Spätmittelalter neben diesen das in den Vordergrund tretende Stadtbürgertum. Das bleibt im Grunde so bis ins 18. Jahrhundert hinein. Das parlamentarisch-demokratische Zeitalter bringt dann die Vorherrschaft auch des sprachlichen Einflusses der 'bürgerlichen' Oberschichten und im Verein mit der allgemeinen Schulpflicht einen wie der technisch-wirtschaftlichen Entwicklung gesteigerten, wenngleich immer noch stark abgestuften Anteil aller Gesellschaftsschichten an der Hochsprache, die nun zum ersten Mal auch im sozialen Sinn zur Gemeinsprache wird.

Dabei hat zu allen Zeiten ein Austausch zwischen den sprachlichen Schichten stattgefunden. Die Hochsprache erwächst von unten, allerdings in historischer Zeit offenbar nicht unmittelbar aus der Volkssprache, sondern aus der Verkehrs- und Umgangssprache der Oberschichten, die ihrerseits der Volkssprache entstammt, wie aus deren Alltagssprache. Umgekehrt geht von der Hochsprache ständig eine seit dem 19. Jahrhundert wesentlich gesteigerte Wirkung auf die mittleren und unteren Sprachschichten aus.

Die Sprache ist aber nicht nur in der angedeuteten Weise ein Spiegel der Nation, Ausdruck von deren Sonderbewußtsein, historischen Schicksalen und vielleicht auch deren Eigenart, sondern wirkt auch ständig wieder auf diese zurück. Zum Zusammenwachsen der deutschen Stämme im Reich der Karolinger- und Sachsenkaiser hat nicht wenig die zusammenfügende Kraft des neuen Wortes *deutsch* beigetragen, und das gemeinsame Sprachbewußtsein wie die überlandschaftlichen hochsprachlichen Formen des Mittelalters und der Neuzeit haben einen wichtigen Anteil an der Ausbildung und Erhaltung des Eigenbewußtseins der Sprachgemeinschaft und des Volkes über alle landschaftliche Gliederung und soziale Schichtung hinweg. So ist es begreiflich, daß den Romantikern Sprachgemeinschaft und Nation gleichbedeutend waren und daß Jacob Grimm sagen konnte: »Ein Volk ist der Inbegriff von Menschen, welche dieselbe Sprache reden.« Unser Volksbegriff ist heute nicht mehr der gleiche wie der Jacob Grimms. Wir glauben, daß ein Volk außer durch die Sprache auch durch die Gemeinsamkeit der Kultur, der Wirtschaft, des Sozialgefüges, des Rechts und durch die gemeinsamen Schicksale, aber auch durch ein gemeinsames Bewußtsein bestimmt ist, und wir sind zurückhaltend gegenüber einer raschen und völligen Gleichsetzung von »Volksgeist« und »Sprachgeist« im Sinne W. v. Humboldts. Und doch ist auch uns die Sprache ein wesentliches Merkmal der Gemeinschaft eines Volkes. Durch sie wachsen wir in das Volk hinein, sie vor allem vermittelt uns den Reichtum des geistigen und seelischen Nationalerbes, eine gewisse Art zu denken, eine gewisse Weise, die Welt aufzufassen und zu bewältigen. In welchem Maße die Eigenart der Sprachgemeinschaft von der Sprache mitgeprägt wurde, die dem Einzelnen von Kindheit an bestimmte Sehweisen und Denkbahnen vermittelt, ist noch zu wenig erschlossen; doch erweist sich auch hier gewiß die Sprache als eine wirkende Kraft. So hat auch heute noch der Name *deutsch* viel von seinem Inhalt bewahrt: *diutisc* – volksmäßig, wenn wir darunter verstehen: das Volk bezeichnend und formend.

Zum Schluß stellt sich die Frage: Wohin steuert das heutige Deutsch? Wir müssen gestehen, daß die Forschung die gegenwärtige sprachliche Situation nicht immer sicher oder nur teilweise deuten kann. So erhebt sich das Problem, wie sich die Veränderungen des Gesamtgefüges des Deutschen namentlich für die Hochsprache auswirken. Heute, da die Mundarten auch in Deutschland in die großen vertikal-sozialen und horizontal-geographischen kulturellen Ausgleichsvorgänge einbezogen sind, muß man fragen, ob der an Raum gewinnenden sprachlichen Zwischenschicht die der Volkssprache eigene Anschaulichkeit erhalten bleibt, die sie wie bislang die Mundarten der Hochsprache zugute kommen lassen kann. Es besteht kein Zweifel, daß diese von der Gefahr bedroht ist, zu blutleer, zu abstrakt zu werden, zu wenig fähig, Neues zu bewältigen, namentlich im Bereich der Naturwissenschaften und der Technik. Allerdings haben sich von seiten der Fachsprachen, namentlich der Technik und des Sports, neue Quellen für anschauliche Bilder und Metaphern aufgetan.

Wir übersehen auch noch nicht die Folgen der Tatsache, daß in der heutigen Industriegesellschaft – etwas Neues in der Sprachgeschichte! – die Hochsprache in den Händen aller ist. Das bedeutet, daß die Alltagssprache mit ihrem Hang zum einfachen Satzbau, zum gängigen Modewort und zur bequemen Formel einen wachsenden Einfluß auf die Schriftsprache nimmt. Das heißt aber auch, daß, seitdem immer weitere Kreise 'akademisiert' werden, seitdem Schule, Zeitung, Fachliteratur, Rundfunk und neuerdings Fernsehen für die Popularisierung auch philosophischer und fachwissenschaftlicher Terminologie sorgen, sich die Sinnentleerung der Wörter rascher und in größerem Umfang als je vollzieht; man denke an Ausdrücke wie *Problem*, *Existenz*, *Sektor* usw.

Wir wissen auch nicht, inwieweit die oben gekennzeichneten Tendenzen in der Entwicklung des sprachlichen »Systems« das Gesicht der deutschen Sprache weiter verändern werden. Vor allem wird man dabei an die wachsende Vorliebe für Nominalfügungen denken. Doch steht der Zunahme substantivischer Konstruktionen auch eine Neigung zur Neubildung von Verben aus Substantiven (vgl. *drahten, verlanden* usw.) gegenüber. Von der neueren epischen Dichtung, die zum Teil zu einem einfachen Satzbau als einem bewußt angewandten Stilmittel zurückgekehrt ist, könnte ebenfalls eine günstige Gegenwirkung ausgehen.

Herder und die Romantiker sahen in der Sprachgeschichte die Entwicklung von einer sinnlich-anschaulichen zu einer geistig-abstrakten Stufe. Sie betrachteten den dabei eintretenden Verlust an Wohlklang und Formenreichtum als ein Zeichen der Erschlaffung der bildenden Kraft der Sprache und werteten ihn im Sinne des pessimistischen romantischen Geschichtsbildes als einen Abstieg. Demgegenüber erkennen wir neben den meist unbewußten Vorgängen des Ausgleichs, der Abschleifung und des Schwundes und neben solchen gesteigerter Sinnentleerung auch den ungeheuren Gewinn der jüngeren Sprachzeit an neuen Wörtern und Wortinhalten, in denen sich die Meisterung der veränderten Welt, der neuen Gegebenheiten im physischen und geistigen Bereich äußert, und wir schätzen ihn anders als die Romantiker als eine bedeutende, größtenteils bewußte Leistung der Sprache, genauer der Sprachgemeinschaft, ein. Zudem könnte die Tatsache, daß wir in einer Zeit eines besonders wachen Sprachbewußtseins leben, das die heutige Sprachsituation sogar oft zu einseitig nur als Sprachkrise bewertet und das beachtliche Bemühungen der Sprachpflege entstehen ließ, eine Gewähr dafür bieten, daß die Sprachgemeinschaft das künftige Schicksal ihrer Sprache in vieler Hinsicht in der Hand zu behalten vermag. Eine bange Frage bleibt freilich; wird die verbindende Kraft der Sprache nicht durch die beginnende Auseinanderentwicklung im geteilten Deutschland in wachsendem Maße beeinträchtigt? Man muß wünschen, daß diese neue Phase in der Geschichte der Hochsprache einmal in die Annalen der deutschen Sprache nur als Episode eingehe.

Namen- und Sachverzeichnis

SAMMLUNG METZLER

Realienbücher für Germanisten

die 1961–1962 erschienenen Bände:

ABT. B: Literaturwissenschaftliche Methodenlehre

Einführung in die Bücherkunde zur deutschen Literaturwissenschaft. Von Paul Raabe. VI, 88 S. und 13 Tab. (Best.-Nr. M 1).

Die schriftliche Form germanistischer Arbeiten. Von Georg Bangen. XII, 92 S. (Best.-Nr. M 13).

Quellenkunde zur neueren deutschen Literaturgeschichte. Von Paul Raabe. VIII, 144 S. (Best.-Nr. M 21).

ABT. C: Deutsche Sprachwissenschaft

Annalen der deutschen Sprache von den Anfängen bis zur Gegenwart. Von Hugo Moser. VIII, 66 S., 1 Falttaf. (Best.-Nr. M 5).

Altdeutsche Grammatik. I: *Lautlehre;* II: *Formenlehre.* Von Karl Meisen. VIII, 101; VI, 95 S. (Best.-Nr. M 2 u. M 3).

ABT. D: Literaturgeschichte

Nibelungenlied (= Heldendichtung. I). Von Gottfried Weber und Werner Hoffmann. VI, 71 S. (Best.-Nr. M 7).

Gottfried von Straßburg. Von Gottfried Weber und Werner Hoffmann. VIII, 85 S. (Best.-Nr. M 15).

Hartmann von Aue. Von Peter Wapnewski. VI, 101 S. (Best.-Nr. M 17).

Spielmannsepik. Von Walter Johs Schröder. V, 84 S. (Best.-Nr. M 19).

Mittelalterliche Fachliteratur. Von Gerhard Eis. VIII, 88 S. (Best.-Nr. M 14).

Meistersang. Von Bert Nagel. VIII, 104 S., 2 Falttaf. (Best.-Nr. M 12).

Der galante Roman. Von Herbert Singer. 64 S. (Best.-Nr. M 10).

SAMMLUNG METZLER

die 1961–1962 erschienenen Bände:
(Fortsetzung)

Abt. D: *Literarisches Rokoko.* Von Alfred Anger. X, 108 S. (Best.-Nr. M 25).

Friedrich Hölderlin. Von Lawrence Ryan. VIII, 89 S. (Best.-Nr. M 20).

Eduard Mörike. Von Herbert Meyer. 64 S. (Best.-Nr. M 8).
Friedrich Hebbel. Von Anni Meetz. VIII, 100 S. (Best.-Nr. M 18).

Literarische Zeitschriften. I: *1885–1910;* II: *1910–1933.* Von Fritz Schlawe. VIII, 94; XI, 112 S. (Best.-Nr. M 6 u. M. 24).
Bertolt Brecht. Von Reinhold Grimm. XV, 111 S. (Best.-Nr. M 4).
Gottfried Benn. Von Friedr. Wilh. Wodtke. VIII, 130 S. (Best.-Nr. M 26).

Abt. E: Poetik

Legende. Von Hellmut Rosenfeld. VI, 87 S. (Best.-Nr. M 9).
Märchen. Von Max Lüthi. XII, 92 S. (Best.-Nr. M 16).

Abt. G: Dokumentationen

a) aus der Geschichte der Literaturwissenschaft und Literaturkritik:

Th. W. Danzel „Zur Literatur und Philosophie der Goethezeit“. Neu hrsg. v. Hans Mayer. XLII, 352 S. (Best.-Nr. M 22).

b) Faksimiledrucke zu Unrecht vergessener dichterischer Texte:

Friedrich Heinrich Jacobi „Eduard Allwills Papiere“ (1776). Nachw. v. H. Nicolai. IV, 132 S. (Best.-Nr. M 23).

Karl Philipp Moritz „Die neue Cecilia“ (1794). Nachw. v. H. J. Schrimpf. IV, 96 S. (Best.-Nr. M 11).

Preise auf Anfrage

J.B.METZLERSCHE VERLAGSBUCHHANDLUNG
Stuttgart 1, Postfach 529

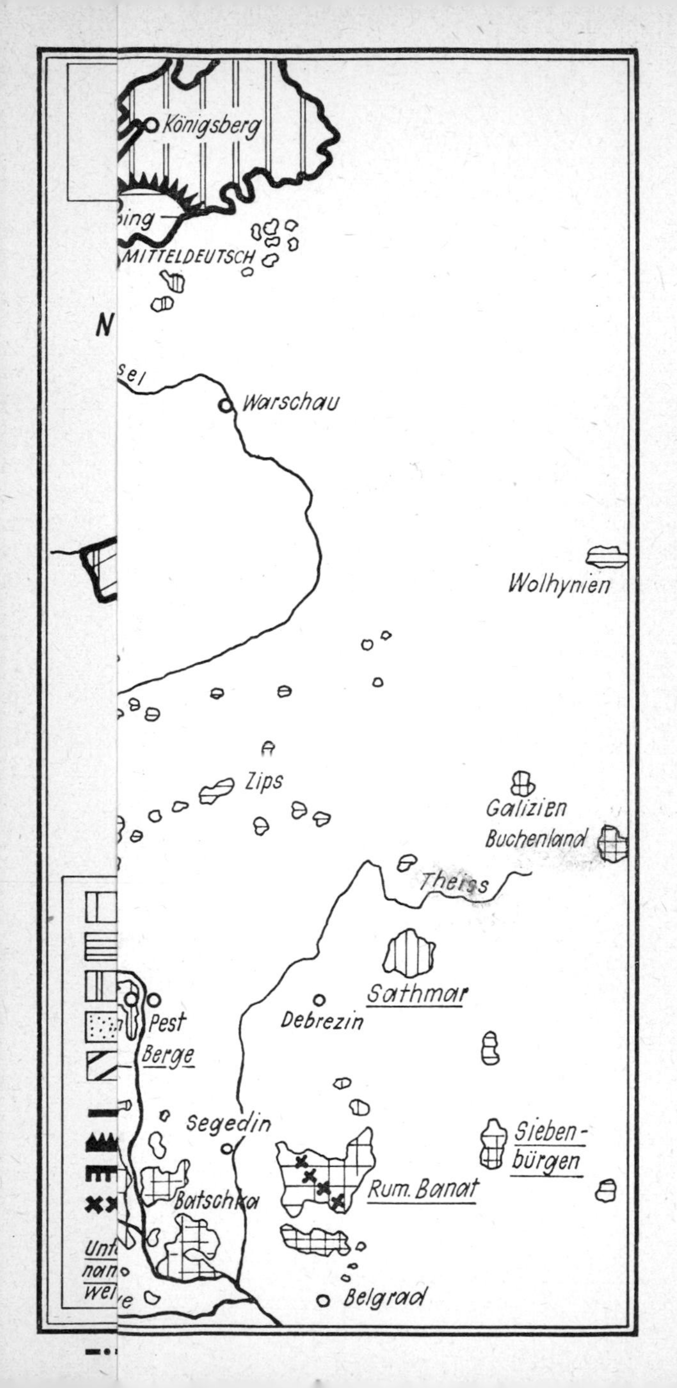

Königsberg
MITTELDEUTSCH
N
Warschau
Wolhynien
Zips
Galizien
Buchenland
Theiss
Sathmar
Pest
Debrezin
Berge
Segedin
Sieben-
bürgen
Rum. Banat
Batschka
Belgrad

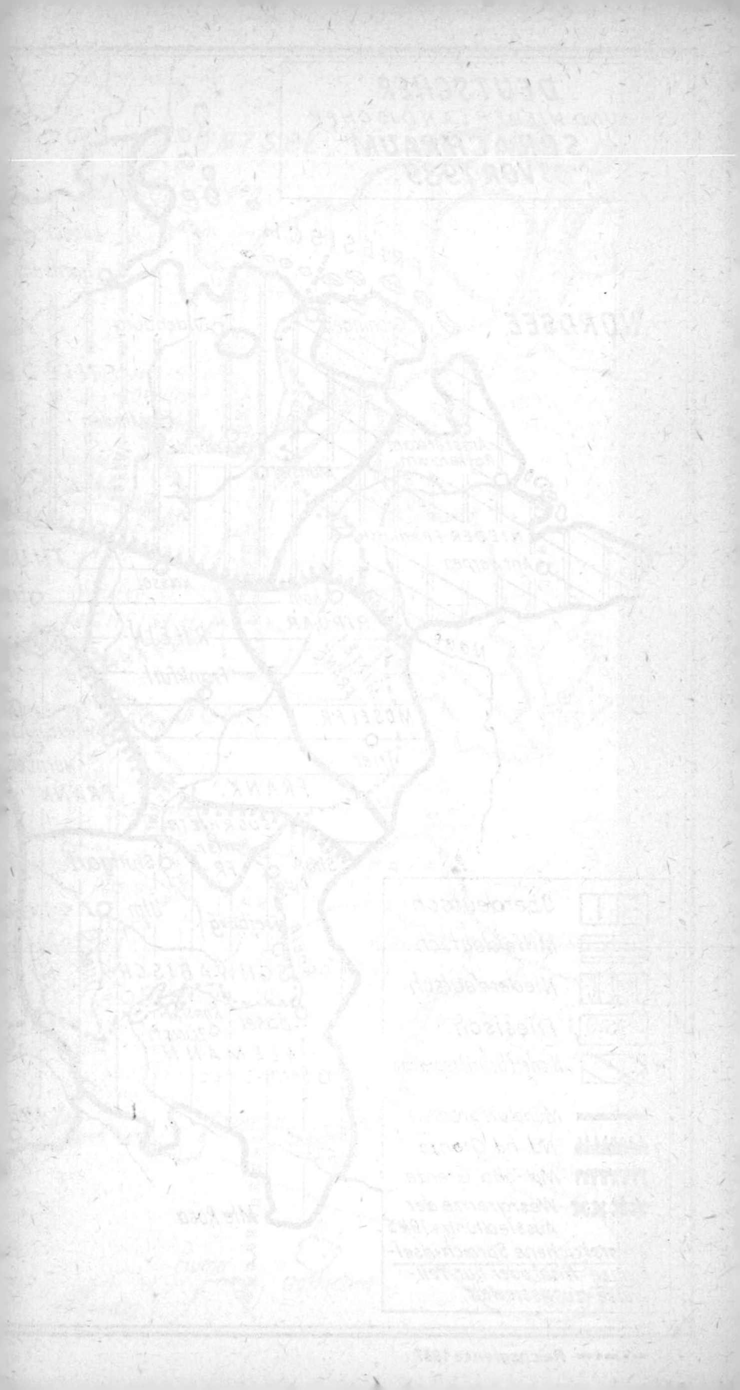